# CONTES EN VERS

# HISTOIRES OU CONTES
# DU TEMPS PASSÉ

illustrés par Gustave Doré

CIP-Information

............................................................
............................................................

GF Flammarion

06/07/122880-VII-2006 – Impr. MAURY Eurolivres, 45300 Manchecourt.
N° d'édition LO1EHPNFG1309N001 – Août 2006. – Printed in France.

PERRAULT

# CONTES EN VERS

# HISTOIRES OU CONTES
# DU TEMPS PASSÉ

illustrés par Gustave Doré

*Présentation par* Christelle BAHIER-PORTE
*Lecture d'images par* Jérôme PICON
*Suivi d'une chronologie et d'une bibliographie*

GF Flammarion

*Le lecteur trouvera en fin de volume les commentaires des illustrations de Gustave Doré pour les contes de Charles Perrault (p. 227-241).*

# PRÉSENTATION

« Tire la chevillette, la bobinette cherra » : cette for-mule connue de tous fait renaître à elle seule, instanta-nément, l'esprit d'enfance et l'esprit du conte. On peut tenter d'expliquer la magie de cette réminiscence par le style : une phrase binaire, parfaitement équilibrée ; l'imitation du style oral à la fois archaïque (le futur inusité du verbe « choir ») et enfantin (les diminutifs). On peut aussi y voir la formule type de l'entrée dans la féerie, sur un plan symbolique : elle permet d'ouvrir une porte, de pénétrer un monde inconnu – celui des adultes, diront les psychiatres –, fait de séduction et de terreur. La fortune des contes est telle, ils sont si profon-dément ancrés dans les mémoires, qu'on en oublierait qu'ils sont d'abord l'œuvre d'un auteur, Charles Per-rault, et l'enjeu d'une querelle à la fin du XVII$^e$ siècle ; qu'ils ne sont pas destinés aux enfants mais à un public lettré, exigeant et critique. On en oublierait que les contes de Charles Perrault relèvent de la littérature.

De leur naissance polémique à la fin du XVII$^e$ siècle à leur réappropriation par l'imaginaire collectif, dont les illustrations de Gustave Doré au XIX$^e$ siècle rendent admirablement compte, les *Contes en vers* et les *His-toires ou contes du temps passé* ont une histoire, faite de légendes et de rebondissements, que nous nous pro-posons de retracer brièvement.

## Naissance d'un genre « moderne »

Charles Perrault est le cadet d'une famille de parlementaires. D'abord avocat, il se consacre, en 1654, à l'âge de vingt-six ans, à une carrière de haut fonctionnaire. Il devient « commis » de son frère Pierre, receveur général des Finances, puis entre au service de Colbert en 1663. Secrétaire des séances de la « petite Académie » (la future Académie des inscriptions et belles-lettres) réunie autour du surintendant, il entre en 1671 à l'Académie française, dont il est nommé chancelier l'année suivante. Il participe ainsi aux travaux du *Dictionnaire* de l'Académie et œuvre pour la modernisation de la langue en prenant par exemple en charge une commission chargée de revoir l'orthographe. En 1672, il est également nommé « contrôleur des Bâtiments de Sa Majesté ». Ces fonctions lui permettent de servir le pouvoir royal dans tous les domaines : il participe à l'attribution des pensions pour les écrivains les plus fidèles au régime, rédige et corrige des éloges du pouvoir tout en surveillant de près les constructions de palais, notamment les aménagements du Louvre et des jardins de Versailles.

Cela ne l'empêche nullement de participer aux débats littéraires. Il entend ainsi promouvoir le style galant et surtout les productions modernes : en 1674, par exemple, il prend la défense de la tragédie lyrique de Quinault et Lully intitulée *Alceste ou le Triomphe d'Alcide* pour montrer qu'elle est bien supérieure à la tragédie grecque *Alceste* d'Euripide. Mais il s'attire ainsi l'inimitié durable de Boileau, qui se moque à plusieurs reprises des vers galants des Perrault [1], et de Racine, qui répond aux Perrault sur la question d'Euripide dans la préface *d'Iphigénie*. Il faut préciser que ces querelles ne sont pas sans conséquence sur la

---

1. Charles écrivait en collaboration avec ses frères. Voir la Chronologie en fin de volume.

situation politique des écrivains. Lorsque Boileau et Racine sont nommés historiographes du roi en 1677, le poste de Charles Perrault est menacé. Il est d'abord remplacé au poste de « premier commis » par le propre fils de Colbert en 1680 ; il se brouille ensuite avec le surintendant, qui meurt l'année suivante et est remplacé par Louvois. Ce dernier confirme la disgrâce de Perrault : il est exclu de la « petite Académie » et ne reçoit plus aucune pension.

Après la révocation de l'édit de Nantes en 1685, Perrault, aux côtés de Fénelon et Bossuet, se fait un défenseur de la morale chrétienne par le biais de l'art, autant par conviction que pour s'attirer le soutien de Mme de Maintenon, qui exerce une grande influence sur le roi. C'est également au cours de cette « retraite » forcée qu'il relance avec plus de vigueur la polémique entre les Anciens et les Modernes, à laquelle, comme nous le verrons plus loin, la rédaction des premiers contes – les contes en vers : *Griselidis*, *Peau d'Âne* et *Les Souhaits ridicules* – est intrinsèquement liée. Perrault consacre les dernières années de sa vie à une littérature plus officielle : il rédige des odes pour célébrer les événements politiques, à M. de Caillères sur la paix de Ryswick en 1698, au roi Philippe V en 1701. Il traduit les *Fables* de l'écrivain italien Faërne en 1699 et ajoute un second tome à ses *Hommes illustres* en 1700. Il meurt en mai 1703, laissant derrière lui une œuvre abondante et variée : outre les ouvrages théoriques comme le *Parallèle des Anciens et des Modernes*, on trouve des poèmes chrétiens, des esquisses de pièces dramatiques comiques, des éloges des Grands, des Mémoires. Mais il est vrai que les contes tiennent une place particulière parce qu'ils marquent l'avènement d'un genre nouveau et parce que loin d'être, comme les contes de Voltaire, le fruit d'un délassement spirituel, ils se trouvent explicitement engagés dans une polémique littéraire et politique : la querelle des Anciens et des Modernes.

L'année 1687 marque un tournant dans cette querelle. Le 27 janvier, Perrault fait lire devant l'Académie un poème intitulé *Le Siècle de Louis le Grand* dans lequel il défend la supériorité du siècle de Louis XIV sur celui d'Auguste. L'enjeu est indissociablement politique et littéraire : la défense des œuvres modernes est aussi une célébration du régime dont l'écrivain a assuré le prestige culturel pendant plus de vingt ans. La polémique, engagée notamment avec Boileau, se poursuit avec la publication du *Parallèle des Anciens et des Modernes en ce qui regarde les arts et les sciences* entre 1688 et 1694. Dans ce vaste ouvrage, il s'agit de comparer les mérites respectifs des auteurs anciens et des auteurs du siècle de Louis XIV dans tous les domaines : la « poésie », c'est-à-dire la littérature, mais aussi les arts et les sciences. Cette confrontation prend la forme d'une conversation, lors d'une promenade au château de Versailles, entre le Président, partisan des Anciens, et l'Abbé, qui préfère les Modernes. Dans le domaine de la « poésie », l'Abbé défend les genres inventés par les écrivains modernes comme la tragédie lyrique, c'est-à-dire l'opéra, et les styles que ces derniers auraient menés à leur perfection : le burlesque, qui « consiste dans la disconvenance de l'idée qu'on donne d'une chose d'avec son idée véritable [1] », et la galanterie, deux styles dans lesquels se sont illustrés Perrault et ses frères. Plus profondément, le *Parallèle* propose une nouvelle manière de concevoir l'invention et donc la littérature. Dans le sillage de l'humanisme de la Renaissance, les partisans des Anciens fondent quant à eux la légitimité d'une œuvre sur son rapport, respectueux, à l'Antiquité gréco-latine ; les meilleurs écrivains seraient donc, selon cette logique, ceux qui imitent le plus parfaitement les Anciens. La Bruyère reprend cette idée d'une

---

1. Ch. Perrault, *Parallèle des Anciens et des Modernes* [1692], t. III, Genève, Slatkine Reprints, 1979, p. 296.

filiation nécessaire avec les écrivains antiques en tête de ses *Caractères* (1688-1696), placés sous l'égide du grec Théophraste. En revanche, l'œuvre moderne selon Perrault, et selon Fontenelle dans sa *Digression sur les Anciens et les Modernes* (1688), doit prendre acte des progrès de la raison et trouver son autorité et sa légitimité en elle-même et non par rapport à l'imitation d'un modèle antique. En outre, puisque la nature est toujours la même, s'il y a eu des génies dans l'Antiquité, il peut y en avoir au siècle de Louis XIV.

Les trois premiers contes, en vers, sont publiés au cœur de ce débat et peuvent faire figure de manifestes, volontiers provocateurs, des théories énoncées dans le *Parallèle* : ils vont prouver que la littérature ne se définit pas seulement par rapport aux écrits de l'Antiquité et montrer que le merveilleux des contes est à la fois plus vraisemblable et plus moral que celui des fables païennes de l'Antiquité, entachées de superstitions. *La Marquise de Salusses ou la Patience de Griselidis* est rédigé en vers libres et publié en 1691. Ce premier conte sert doublement la polémique : d'une part il ne s'inspire pas d'une fable antique mais d'une nouvelle italienne de Boccace fort diffusée à l'époque, comme nous le verrons, et d'autre part il répond par anticipation à la *Satire X* de Boileau contre les femmes, alors en cours de rédaction et qui paraîtra en 1694, en proposant un exemple de vertu féminine. Perrault publie ensuite, en 1693, dans *Le Mercure galant*, périodique privilégié du camp des Modernes, *Les Souhaits ridicules*. En 1694 paraît *Peau d'Âne*, premier « conte de fées » à proprement parler [1], puisque l'héroïne est protégée par une fée marraine. Le titre renvoie à un fonds folklorique immémorial : selon le *Dictionnaire* de Furetière, un « conte de Peau d'Âne » relève des « contes de vieille, des histoires peu vraisemblables ».

---

1. L'expression n'apparaît cependant qu'en 1698 dans le titre d'un recueil de Mme d'Aulnoy.

Il s'agit donc bien de remettre en cause la préséance de la culture des Anciens, la culture gréco-latine. En choisissant de donner en vers hétérométriques, avec force figures d'ornementation, un conte issu de la tradition orale, Perrault fait la démonstration du « génie » des Modernes tout en inventant un genre nouveau.

Dès 1694, les trois récits en vers sont rassemblés en recueil, et dès la quatrième édition en 1695 ils sont précédés d'une préface qui confirme leur enjeu polémique en reprenant très clairement les arguments du *Parallèle* [1]. Perrault montre en effet que les « fables » de son recueil ne sont pas moins anciennes que les « fables milésiennes » dont se réjouissait l'Antiquité. Venues d'Asie Mineure, ces fictions mêlent histoires sentimentales, merveilleux et réalisme dans la peinture de mœurs parfois très libres. De cette veine dérive l'histoire de la matrone d'Éphèse, que l'on peut lire dans le *Satiricon* de Pétrone, et celle de Psyché relatée par Apulée dans ses *Métamorphoses*. Ces deux récits ont été adaptés par La Fontaine : « Psyché » dans *Les Amours de Psyché et Cupidon* en 1669, « La matrone d'Éphèse » dans les *Contes et Nouvelles* en 1682. Perrault affirme que les histoires de Griselidis et de Peau d'Âne, racontées par les nourrices, sont aussi anciennes que celle de « La matrone d'Éphèse » et de « Psyché ». L'argument est ironique, Perrault feignant de réduire l'objet de la querelle à une question d'ancienneté, et occultant ainsi habilement la question de la culture gréco-latine pour mettre en avant celui de la moralité : « Je prétends même que mes Fables méritent mieux d'être racontées que la plupart des Contes anciens, et particulièrement celui de la Matrone d'Éphèse et celui de Psyché, si l'on regarde du côté de la Morale, chose principale dans toute sorte

---

1. Plus précisément, cette préface date probablement de la troisième édition des *Contes*, rarissime, parue en 1694.

de Fables, et pour laquelle elles doivent avoir été faites. » Il nous faudra voir précisément ce qu'il en est dans la pratique, tant du côté des sources que de celui de la morale, mais il suffit, au sein de la querelle, que les arguments soient présents : les contes nouveaux s'inspirent de la tradition orale des nourrices et sont plus moraux que les fables anciennes.

Avec les contes en vers, Perrault entend ainsi se distancier de la pratique des *Contes* de La Fontaine, tout en rendant hommage à celui qu'il considère, dans le *Parallèle*, comme le maître de la poésie galante. Certes, La Fontaine est l'un des meilleurs écrivains du siècle, mais il se trompe en choisissant de travailler sur des textes antiques dépourvus de sens et de morale. La rivalité se veut respectueuse : alors que La Fontaine a démontré le « pouvoir des fables » dans la fable qui porte ce titre en 1678, Perrault entend démontrer le pouvoir des contes en répondant au défi lancé par le maître lui-même, à la fin de sa fable :

> Si *Peau d'Âne* m'était conté,
> J'y prendrais un plaisir extrême.
> Le monde est vieux, dit-on, je le crois, cependant
> Il le faut amuser encor comme un enfant.
> (*Fables*, VIII, IV)

Les deux termes du défi seront relevés en 1695, comme en témoigne la préface : « Le conte de Peau d'Âne est ici raconté » et, selon Mlle Lhéritier, la nièce de Perrault, dont un madrigal est cité à la fin de la préface, fait « du plaisir à lire ». Quant à la nécessité d'amuser le monde comme un enfant, elle sera au principe de la dédicace des *Histoires ou contes du temps passé* publiés en 1697. On comprend que les résonances lafontainiennes soient si nombreuses dans les contes, ces derniers se concevant clairement, dès la publication de *Griselidis*, comme un hommage : la reconnaissance d'un héritage qu'il convient de dépasser, en se détachant des fables des Anciens.

Les contes en prose reprennent ces arguments en les mettant littéralement en scène. En 1695, un manuscrit intitulé *Contes de ma mère l'Oye* comportant cinq contes précédés d'une dédicace signée « P. P. », initiales du fils de Charles Perrault, Pierre, alors âgé de dix-sept ans, est offert « À Mademoiselle ** [1] ». Le titre choisi renvoie aux contes pour enfants, l'expression « conte de ma mère l'Oye » étant donnée pour synonyme de « conte de Peau d'Âne » ou « conte de vieille » dans le *Dictionnaire de l'Académie* de 1694 [2]. Perrault a pris soin d'orner le manuscrit de vignettes en couleur et d'un frontispice qui représente précisément l'origine orale des contes : une vieille paysanne, à son rouet, raconte des histoires à des enfants [3]. Pour la publication en 1697, Perrault ajoute trois contes : *Cendrillon, Riquet à la Houppe* et *Le Petit Poucet*, et choisit finalement pour titre, sans doute plus explicite : *Histoires ou contes du temps passé*, le titre initial figurant néanmoins sur le frontispice. La dédicace est toujours signée par le fils de Charles, cette fois sous le nom de « P. Darmancour ». Aujourd'hui, la plupart des critiques et éditeurs s'accordent pour reconnaître la paternité du seul Charles Perrault, même s'il n'est pas tout à fait impossible d'écarter l'hypothèse d'une col-

---

1. Il s'agit d'Élisabeth Charlotte d'Orléans, nièce de Louis XIV, alors âgée de neuf ans.

2. Marc Soriano, dans son introduction aux *Contes* de Perrault, y voit en outre une pique contre Boileau : « chacun sait que les oies et les jars ont la réputation de mutiler les petits garçons. Nouvelle allusion au malheur qui a frappé Boileau dès la première enfance. Sans doute il s'agissait non d'une oie mais d'une aiguille de fer portée au rouge et enfoncée dans le canal de l'urètre. Mais un conteur garde le droit de modifier légèrement la réalité » (GF-Flammarion, 1991, p. 24).

3. Ce manuscrit a été édité avec un fac-similé par Jacques Barchilon, *Perrault's Tales of Mother Goose. The Dedication Manuscript of 1695*, New York, The Pierpont Morgan Library, 1956.

laboration entre le père et le fils : Pierre Perrault aurait collecté des contes auprès des nourrices paysannes et son père les aurait recomposés pour les offrir à la jeune princesse [1]. L'attribution des contes à un « enfant » a cependant son importance théorique ; elle appartient, comme le frontispice, à la mise en scène de la situation d'énonciation des contes : l'enfant, d'abord auditeur des contes, a pris la peine de les transcrire pour les raconter à son tour. Le modèle n'est plus celui d'un livre à imiter comme le veulent les Anciens mais d'une tradition, non écrite, à s'approprier.

Les récits en vers et les contes en prose seront publiés ensemble pour la première fois en 1781, accompagnés d'une version en prose de *Peau d'Âne*, restée anonyme.

## De la « cabane » au salon

Qu'en est-il, en réalité, de cette origine orale des contes affirmée dans la préface des contes en vers et mise en scène dans la dédicace et le frontispice des contes en prose ? Perrault affirme, sous la plume de Darmancour, que les contes ont été collectés « jusque dans les huttes et les cabanes », à la bouche même des nourrices. En fait, si Perrault s'est indéniablement inspiré de contes oraux, il a aussi probablement avantageusement puisé dans toute une littérature constituée. Le *Conte des Contes*, de l'écrivain italien Giambattista Basile, également connu sous le titre *Pentamerone* (1634-1636), qui contient cinquante nouvelles rédigées sur le modèle du *Décaméron* de Boccace, est une première source possible : on y trouve des scénarios proches de ceux de *Cendrillon*, du *Petit Poucet*, du *Chat botté* ou

---

1. C'est l'hypothèse de Marc Soriano dans son ouvrage fondateur, *Les Contes de Perrault. Culture savante et tradition populaire* [1968], édition revue et corrigée, Gallimard, 1977, p. 454.

encore des *Fées*. *Les Nuits facétieuses* du conteur italien Straparole (1550-1153), bien diffusées dans les salons grâce à la traduction de Pierre de Larivey en 1576, ont pu être sollicitées pour *Le Chat botté* et *Peau d'Âne*. *Griselidis* est un récit très populaire au XVII<sup>e</sup> siècle : on en trouve une version dans une nouvelle du *Décaméron* de Boccace, mais le récit circulait aussi grâce aux livres de colportage, auxquels Perrault fait d'ailleurs allusion dans son envoi du conte à « Monsieur *** », en évoquant le « papier bleu où il est depuis tant d'années [1] ». Le conte « La belle Zélandine » inclus dans le roman médiéval *Perceforest* a pu inspirer la première partie de *La Belle au bois dormant*, tandis que la deuxième partie, qui traite de la mère ogresse du prince, devrait tout à la tradition orale. En revanche, *Le Petit Chaperon rouge* et *La Barbe bleue* sont des contes d'origine exclusivement orale. *Riquet à la Houppe* rappelle un conte traditionnel, mais Perrault se serait aussi inspiré de la version de Catherine Bernard publiée en 1696. Mlle Lhéritier, en 1706, en donnera également une version intitulée *Ricdin Ricdon*, qui serait plus proche du conte traditionnel [2].

En résumé, si Perrault s'inspire probablement de contes d'origine orale, diffusés par les nourrices, il sait aussi mettre à contribution les livres de la bibliothèque de l'Académie. Il serait donc abusif d'en faire le premier folkloriste, collecteur de contes [3]. Le départ entre

---

1. Des colporteurs diffusaient dans les villes et les campagnes des livres imprimés à Troyes, reconnaissables par leur couverture bleue.

2. Nous renvoyons aux analyses de Michèle Simonsen qui, pour chacun des contes, identifie les contes traditionnels et les versions littéraires potentiellement utilisés par Perrault, *Perrault, Contes*, PUF, « Études littéraires », 1992. Voir également les notices proposées par Jean-Pierre Collinet à la fin de son édition des *Contes*, Gallimard, « Folio », 1981.

3. C'est l'opinion de Marc Soriano, pourtant très attaché à la résurgence de la culture populaire dans les contes de Perrault qu'il a décrite dans son ouvrage, *Les Contes de Perrault. Culture savante et tradition populaire, op. cit.*

les deux types de sources est néanmoins difficile. À partir du XIXᵉ siècle, les folkloristes s'attachent à restituer tout ce que Perrault aurait « volé » à la tradition orale, mais c'est méconnaître le projet esthétique de l'académicien : si la tradition orale fournit des canevas d'histoires, tout le mérite doit revenir à celui qui a su les recomposer, les transformer en œuvre littéraire. C'est là que se juge le « génie » : dans la création et non dans l'imitation, si élégante soit-elle, de textes préexistants. En effet, ce n'est pas parce que Perrault puise dans les contes de nourrice qu'il promeut une quelconque « culture populaire ». Le goût du merveilleux et des « contes faits à plaisir » n'est pas réservé au peuple mais touche tous les « gens de bon goût », comme en témoigne le succès, à l'époque, des vieux romans – *Amadis de Gaule*, le *Roland furieux*, l'*Histoire de Mélusine* –, que le public lettré lit toujours avec délices.

Dans cette perspective, le projet polémique et littéraire de Perrault profite fort opportunément de l'engouement des salons mondains pour les contes à partir des années 1690. La collecte de contes puis leur récit, qui doit être le plus fidèle possible aux moyens d'expression de la nourrice, est un exercice de style apprécié des salons auxquels Perrault est lié par l'intermédiaire de sa nièce, Mlle Lhéritier. On désigne habituellement comme premier conte littéraire publié un conte de Mme d'Aulnoy intitulé *L'Île de la félicité*, inséré en 1690 dans son roman *Histoire d'Hypolite comte de Douglas* ; cependant ce conte relève plus de la mythologie et de l'allégorie que de la féerie à proprement parler. Le succès rencontré par les contes en vers, puis par les *Histoires ou contes du temps passé*, a sans doute encouragé la publication de nouveaux contes. En 1695, Mlle Lhéritier donne, dans ses *Œuvres mêlées*, trois contes en prose. Dans sa préface, elle reprend les mêmes arguments que son illustre oncle : « contes pour contes, il me paraît que ceux de l'Antiquité gauloise, valent bien à peu près ceux de l'Antiquité grecque ». Le premier de ces contes, *Marmoisan*, est dédié à la fille de Charles Perrault et est présenté comme la reprise d'un conte qu'elle a elle-même entendu enfant « le soir près des tisons ». Le deuxième conte, *Les Enchantements de l'éloquence ou les Effets de la douceur*, repose sur le même scénario que *Les Fées* qui, rappelons-le, circule déjà sous forme de manuscrit en 1695. Les deux contes peuvent donc se lire en regard, et étaient certainement lus ainsi dans les salons. La version de la conteuse, plus longue et plus explicite, donnerait alors la clef interprétative du bref conte de Perrault en développant la première moralité de celui-ci sur la force des « douces paroles [1] ». La parenté entre les contes de Mlle Lhéritier et ceux de son oncle est telle que le troisième conte des *Œuvres mêlées*, *Les Aventures de Finette ou l'Adroite Princesse*, a été attribué à Perrault dans certaines éditions. En 1696, Catherine Bernard, cousine de Fontenelle, partisan des Modernes, insère à son tour deux contes dans son roman *Inès de Cordoue* : *Le Prince rosier* et une première version de *Riquet à la Houppe* [2] qui donnera peut-être à Perrault l'idée de publier sa propre version dans l'édition des contes en prose de 1697. À la fin de cette année 1696, Mme d'Aulnoy fait paraître les quatre premiers volumes de ses *Contes de fées* dont les quatre volumes suivants paraîtront en 1698 et qui connaîtront un grand succès. Plus d'une vingtaine de volumes de contes paraissent jusqu'à ce que la traduc-

---

1. La comparaison des deux versions est l'objet d'un article de Marc Fumaroli qui montre que les contes de Perrault doivent être étudiés comme des œuvres littéraires à part entière, en faisant abstraction de tout lien avec le folklore, et méritent d'être étudiés en rapport avec la culture mondaine qui les a vu naître, « Les fées de Charles Perrault ou De la littérature », dans *Le Statut de La Littérature. Mélanges Paul Bénichou*, Genève, Droz, 1982, p. 159-186.

2. Voir *Inès de Cordoue*, dans *Nouvelles galantes du XVIIᵉ siècle*, éd. Marc Escola, GF-Flammarion, 2004, p. 402 *sq.*

tion des *Mille et Une Nuits* par Antoine Galland, en 1704, lance une nouvelle mode et une nouvelle manière de conter venues d'Orient [1]. Ainsi, comme le montre Jean-Paul Sermain : « cette réunion de femmes proches géographiquement, socialement, culturellement, est venue enrichir le projet de Perrault : le conte de fées est né de son engagement en faveur des Modernes aussi bien que de la liberté, de la curiosité et de l'invention des romancières de cette fin de siècle [2] ».

## Variété et unité des contes de Perrault

Cependant, si les contes de Perrault suscitent une mode, ils demeurent assez atypiques au regard de l'ensemble de la production du temps, et sont les seuls à être restés dans toutes les mémoires, ce qui explique sans doute que se soit créée dans l'imaginaire collectif une sorte de « sous-genre » que Louis Marin appelait plaisamment « contes-de-Perrault [3] ». Quels sont les traits caractéristiques de ces contes ?

La diversité pourrait bien être la « devise » de ce nouveau genre tel qu'il est inventé par Perrault. Le recueil des récits en vers juxtapose déjà une « nouvelle » galante, un conte facétieux et un conte de fées. Les *Histoires ou contes du temps passé* se plaisent à varier les situations, les milieux, les registres. Les contes mettent en scène paysans, bûcherons, meuniers, au même titre que bourgeois, aristocrates, rois et reines,

---

1. Raymonde Robert recense quatre-vingt-sept contes publiés entre 1690 et 1710, attribuables à sept conteuses et quatre conteurs, *Le Conte de fées littéraire en France, de la fin du XVIIᵉ siècle à la fin du XVIIIᵉ siècle* [1981], Champion, 2002, p. 75-77. Voir Marc Escola, *Contes de Charles Perrault*, Gallimard, « Foliothèque », 2005.

2. Jean-Paul Sermain, *Le Conte de fées du classicisme aux Lumières*, Desjonquères, 2005, p. 32.

3. Louis Marin, « Préface-image. Le frontispice des contes-de-Perrault », *Europe*, 1990, n° 739-740, p. 114-122.

riches et pauvres. La variété concerne également la composition des contes plus moins brefs, de trois pages pour *Le Petit Chaperon rouge* à une dizaine pour *La Belle au bois dormant*. L'action peut être simple ou plus complexe, linéaire, binaire (*La Belle au Bois dormant*, *Les Fées*, *Le Petit Poucet*) ou ternaire (*Les Souhaits ridicules*), les dénouements ne sont pas toujours heureux (*Le Petit Chaperon rouge*). L'emploi du merveilleux est, en outre, particulièrement économe par rapport notamment aux histoires des conteuses de la même époque qui se plaisent à multiplier les artifices magiques, les fées et les métamorphoses. Chez Perrault, on ne trouve que quelques fées, quelques ogres, quelques objets magiques : la baguette, les bottes de sept lieues (*La Belle au bois dormant* et *Le Petit Poucet*), une grande malle qui a la capacité de disparaître dans *Peau d'Âne*, un animal qui parle (le Chat botté), pas de réelles métamorphoses à part un nez en boudin et un gnome en prince charmant – à moins que ce ne soit le seul effet de l'amour (*Riquet à la Houppe*).

Le conteur parvient néanmoins à créer un genre pour lequel les structuralistes, notamment Vladimir Propp, chercheront à décrire les invariants « morphologiques » : la logique du récit est linéaire à partir d'une situation initiale qui pose un « méfait », par exemple la menace d'inceste qui pèse sur Peau d'Âne. Le « méfait » engendre une action (la fuite de Peau d'Âne) qui doit mener à la résolution du méfait. Au cours de cette action, les personnages peuvent se réduire à des fonctions, « adjuvants » lorsqu'il s'agit d'aider le héros (la fée marraine de Peau d'Âne ou de Cendrillon), ou « opposants » lorsqu'il s'agit de lui faire obstacle (l'ogre du *Petit Poucet*) [1]. Il faut préciser néanmoins que les recherches de Propp ne concernent pas les seuls contes de Perrault mais un *corpus* d'une

---

1. V. Propp, *Morphologie du conte*, Seuil, 1965.

centaine de contes collectés à partir de la tradition orale.

Indépendamment de ces analyses, des phénomènes d'échos entre les histoires au sein des deux recueils de Perrault, ou même d'un recueil à l'autre, assurent une unité qui semble caractériser un genre à part entière, doté de ses propres codes. *Peau d'Âne* s'ouvre par la tournure « il était une fois », qui revient au début de presque tous les contes en prose (sauf *Le Chat botté*, conformément au principe de variété) et qui est devenue l'embrayeur typique du conte merveilleux. Cette formule n'était pas employée dans le conte oral mais est devenue, après Perrault, indissociable de l'entrée dans le temps indéfini de la féerie. La présence de moralités en vers à la fin de chaque conte crée également un effet de retour, d'un récit à l'autre, de même que la reprise de certains motifs : la pantoufle de verre qui ne s'ajuste qu'à un seul pied rappelle l'anneau qui ne s'ajuste qu'à un seul doigt dans *Peau d'Âne*, la princesse de *Riquet à la Houppe*, désolée par sa bêtise, se lamente dans un bois, comme le pauvre bûcheron des *Souhaits ridicules*.

Par l'invention de ce genre nouveau qu'est le conte littéraire, Perrault puis les écrivains mondains de la fin du XVIIe siècle se proposent donc, comme un jeu mais aussi comme un exercice de style, de retrouver « l'enchantement », pour reprendre le mot de Mlle Lhéritier dans son madrigal, qu'ils ressentaient, enfants, en écoutant les contes de nourrice. Il s'agit bien d'un exercice de style et non d'une transcription objective de l'oralité populaire [1] : le conte de nourrice offre une matière brute mais c'est bien la manière de Perrault qui en fait une œuvre littéraire moderne, autonome et inédite.

---

1. Il suffit, pour s'en convaincre, de comparer un conte des frères Grimm, qui s'attachent à reproduire cette oralité, et un conte de Perrault.

## La « manière » du conte

La préface des récits en vers reprend les arguments de la préface de la première partie des *Contes* de La Fontaine publiés en 1665, laquelle présentait déjà les contes comme des « bagatelles » et affirmait que « ce n'est ni le vrai ni le vraisemblable qui font la beauté et la grâce de ces choses-ci, c'est seulement la manière de les conter [1] ». Si Perrault n'est pas comme La Fontaine partisan de l'imitation des Anciens, il n'en est pas moins incontestablement l'héritier de cette « manière », qualifiée de « galante et plaisante » dans la préface des *Amours de Psyché et Cupidon* en 1669. En puisant dans les contes de nourrice et en plaidant pour la supériorité de la manière sur la matière, Perrault suggère donc que ce n'est pas aux savants – stigmatisés dans la préface des contes en vers comme pédants « qui affectent de paraître graves » – mais « aux gens de bon goût » qu'il appartient d'apprécier les contes.

Le style des contes relève du badinage galant tel qu'il est pratiqué dans les salons, sur le modèle de la conversation dont les principales qualités sont l'enjouement, le naturel et la douceur, c'est-à-dire la capacité à modérer ses passions pour se tourner vers l'autre, lui plaire en prévenant ses désirs [2]. Perrault est un admirateur de ce style galant, dont le maître est pour lui La Fontaine. Il le définit en ces termes dans le *Parallèle* : il « comprend toutes les manières fines et délicates dont on parle de toutes choses avec un enjouement libre et agréable ; en un mot c'est ce qui distingue particulièrement le beau monde et les honnêtes gens du menu peuple ». Le « galant » est « un tour ingé-

---

1. La Fontaine, *Contes et nouvelles*, dans *Œuvres complètes*, Seuil, 1965, p. 178.
2. On trouve ces caractéristiques dans les différents traités sur l'homme de cour et la conversation qui paraissent au XVIIᵉ siècle, par exemple *L'Honnête Homme ou l'Art de plaire à la cour* de Nicolas Faret (1630), ou *De la conversation* du chevalier de Méré (1677).

nieux et fin » que l'on donne aux ouvrages [1]. On comprend que si la matière des contes de Perrault vient du « menu peuple », leur « manière » s'adresse d'abord aux honnêtes gens. Le conteur reprend l'argument à plusieurs reprises : le prince de *La Belle au bois dormant* se dit charmé des « paroles et plus encore de la manière dont elles étaient dites » ; et on lit dans la dédicace des *Souhaits ridicules* à Mademoiselle de la C \*\*\* en 1693 : « c'est la manière / Dont quelque chose est inventé / Qui beaucoup plus que la matière / De tout Récit fait la beauté ». Ce dernier conte peut aisément servir d'exemple. Cette histoire de boudin qualifiée de « folle et peu galante fable », souvent considérée comme une résurgence du fabliau et traitée par La Fontaine dans sa fable « Les Souhaits », use en fait des procédés les plus typiques de la littérature galante. On y trouve un certain art de la « disconvenance » lorsqu'il s'agit de décrire le boudin sur le nez de l'épouse (« Cet ornement en cette place / Ne faisait pas un bon effet ») – les écrivains mondains appréciaient tout particulièrement de décrire les réalités les plus triviales en des termes les plus choisis. La parodie comique du genre délibératif peut également relever du style galant, par exemple lorsque les deux époux « examinent » ce qu'ils doivent faire de leurs souhaits ou lorsque le mari « délibère » pour savoir s'il désenchantera ou non le nez de sa femme : « Rien n'égale, il est vrai, la grandeur souveraine ; / Mais encore faut-il songer / Comment serait faite la Reine / Et dans quelle douleur ce serait la plonger / De l'aller placer sur un trône / Avec un nez plus long qu'une aune. » Le nez d'une reine peut décidément bien changer la face du monde.

Ainsi, lorsque Mlle Lhéritier met en avant la « naïveté » et la « simple douceur » du conte de *Peau d'Âne* dans le madrigal cité à la fin de la dédicace des contes

---

1. Ch. Perrault, *Parallèle des Anciens et des Modernes*, éd. citée, t. III, p. 286.

en vers [1], elle reconnaît dans le conte les principes de ces écrivains mondains. La « naïveté » caractérise le style inventé par les conteurs mondains pour imiter la voix des nourrices, pour donner l'illusion d'un texte destiné aux enfants tout en pratiquant un art du badinage destiné aux adultes lettrés. Mlle Lhéritier, dans ses propres *Œuvres mêlées*, affirme que « la naïveté bien entendue n'est pas connue de tout le monde » et Mme d'Aulnoy en appelle également aux « gens de fort bon goût » pour apprécier le « caractère si naïf et enfantin » de ses histoires [2].

La « naïveté » s'obtient en imitant le style populaire, le style des enfants et le style oral, par un dosage habile qui relève de l'art de l'écrivain. Les archaïsmes qui émaillent les contes de Perrault « fleurent » bon le style ancien : les verbes « verdoie » et « poudroie » dans le célèbre refrain de *La Barbe bleue*, le futur du verbe « choir », « cherra », dans la formule-sésame du *Petit Chaperon rouge*, l'« huis » de la cabane de la métairie dans laquelle se réfugie Peau d'Âne, la tournure « ouida » présente dans *Les Fées* en sont quelques exemples. Les prénoms Blaise et Fanchon dans *Les Souhaits ridicules* et *Les Fées* situent l'histoire dans un milieu rural. Le goût pour les termes techniques de Perrault, qui, rappelons-le, dirigeait les travaux du *Dictionnaire* de l'Académie, permet également de renvoyer aux modes de vie populaires dont la dédicace des contes en prose promet de donner une « image [3] » : Cendrillon « godron-

---

1. « Le conte de Peau d'Âne est ici raconté / Avec tant de naïveté, / Qu'il ne m'a pas moins divertie, / Que quand auprès du feu ma Nourrice ou ma Mie / Tenaient en le faisant mon esprit enchanté », et à la fin du poème : « Ce qui me plaît encor dans sa simple douceur. »
2. Mlle Lhéritier, *Œuvres mêlées*, J. Guignard, 1696, p. 317 ; Mme d'Aulnoy, « Don Gabriel Ponce de Léon », *Contes I : Les Contes de fées*, S.T.F.M., 1997-1998, p. 362.
3. « Il est vrai que ces Contes donnent une Image de ce qui se passe dans les moindres Familles [...]. »

nait » les manchettes des robes de ses sœurs, la « bobinette » appartient au vocabulaire des dentellières.

Le style enfantin est sensible grâce aux diminutifs,
également chers aux conteuses galantes : la « cham-
brette » de *Peau d'Âne*, le « petit Poucet », la « chevillette », par exemple. Les contes sont émaillés d'expressions typiques de l'enfance, comme les « beaux habits »
qui apparaissent dans *Peau d'Âne* et *Le Chat botté*,
expression qui suffit à exprimer l'admiration, quand
les conteuses se plaisent à décrire ces mêmes parures
avec force détails. La répétition est propre au langage
enfantin, et l'on peut se demander si ce n'est pas un
enfant qui explique au prince de *La Belle au bois dormant* ce qui se passe dans le bois : « Un ogre y demeurait, et […] là il emportait tous les enfants qu'il *pouvait*
attraper, pour les *pouvoir* manger à son aise et sans
qu'on le *pût* suivre, ayant seul le *pouvoir* de se faire un
passage au travers du bois » (nous soulignons). *Le
Petit Chaperon rouge* épouse du début à la fin le point
de vue de la petite fille, et donc son langage : « mère-
grand » est répété quatorze fois et « petit Chaperon
rouge » douze fois, les expressions « compère le loup »,
« tout là-bas », « là-bas » appartiennent au registre
enfantin ; le goût des enfants pour les sonorités (« la
galette et le petit pot de beurre ») et pour les refrains
est également imité avec le *crescendo* final de plus en
plus dramatique de la tournure « c'est pour mieux… ».

L'objectif est bien d'imiter les intonations de la voix
des nourrices, cette oralité à l'origine mythique du
conte. Les formules « Tire la chevillette, la bobinette
cherra », « Anne, ma sœur Anne, ne vois-tu rien
venir ? », « Vous serez tous hachés menus comme
chair à pâté », ou « Je sens la chair fraîche » touchent
indéniablement les enfants mais rappellent aussi la
situation de « contage », la performance orale du
conteur qui se sert de ces formules comme appuis de
sa mémoire et comme moyens de relancer l'attention
de l'auditoire. La présence, certes discrète, de didas-

calies qui indiquent la manière de raconter est la trace
également de la narration orale : l'ogresse qui veut
manger la petite Aurore parle « d'un ton d'ogresse qui
a envie de manger de la chair fraîche ». Il est vrai que
Perrault semble avoir voulu atténuer cette dimension
« orale » puisqu'il choisit de supprimer, dans la version
de 1697, la didascalie concernant le loup du *Petit Chaperon rouge* : « On prononce ces mots d'une voix forte
pour faire peur à l'enfant comme si le loup l'allait
manger. »

Cependant, l'imitation du style des nourrices s'adres-
sant à des enfants ne suffit pas à caractériser la « naïveté » spirituelle des contes. L'écrivain des années
1690 se fait volontiers passeur de la tradition mais il
veille à garder son esprit critique et à faire entendre sa
voix, créant ainsi un effet polyphonique. Le conte littéraire, tout en prétendant retrouver l'enchantement
de l'enfance, peut ainsi réfléchir sur son propre mode
de fonctionnement en mettant en question, souvent
de manière ironique, ses principes de composition [1].

Le narrateur se représente donc comme un conteur,
en train de raconter une histoire, que parfois, à la
faveur de parenthèses ou d'intrusions, il commente ou
précise. Les contes de Perrault sont donc « polypho-
niques » au sens où on peut y déceler au moins deux
voix : celle du narrateur et celle du « conte », entendue
comme émanation de la voix des « mies » et nourrices
d'antan. Le narrateur, homme mondain, s'autorise à
manifester son recul par rapport au conte ou encore à
suggérer des parallèles avec le monde qui lui est
contemporain. Tel est par exemple le rôle des ana-
chronismes : le petit Poucet se trouve mêlé aux

---

1. Jean-Paul Sermain qualifie le conte de fées de « métafiction »
puisqu'il prend pour objet une fiction – le conte de nourrice – et
propose en même temps une réflexion sur cette fiction, *Métafictions
(1670-1730). La réflexivité dans la littérature d'imagination*, Champion, 2002, p. 357 *sq.*

affaires et à l'affairisme de la cour et, en bon parvenu, s'occupe de procurer des charges à son père et ses frères ; l'héroïne de *La Barbe bleue* offre de même des charges de capitaine à ses deux frères venus la délivrer de son mari sanguinaire. La distance prise par le narrateur est également visible lorsqu'il intervient pour donner des précisions sur les composantes du conte : on trouve par exemple la définition des bottes de sept lieues dans *La Belle au bois dormant*. Marc Escola, dans cette perspective, a montré que Perrault met en question les principes de composition littéraire classiques : la vraisemblance, la clarté, la logique du récit [1]. Le narrateur, lorsqu'il suggère que la Belle au bois dormant a certainement rêvé d'amour au cours de son long sommeil, souligne qu'il s'agit là de ses propres conjectures, alors que « l'histoire n'en dit pourtant rien ». Il n'hésite pas non plus à donner sa préférence pour une certaine version de l'histoire, lorsque plusieurs hypothèses sont envisageables – lorsqu'il s'agit de savoir si Peau d'Âne a mis exprès son anneau dans le gâteau, il affirme ainsi : « Et pour moi franchement je l'oserais bien croire. »

L'usage du merveilleux relève également de cette mise en question amusée du récit classique par le biais du conte de nourrice. Tantôt, il s'agit d'intégrer le merveilleux dans le déroulement logique de la narration, de rendre en quelque sorte le merveilleux vraisemblable : par exemple, les bottes de sept lieues, si magiques soient-elles, fatiguent l'ogre par les courses folles qu'elles lui imposent ; son épouse, tout ogresse qu'elle est, s'évanouit sous le coup de l'émotion, comme toutes les femmes ; le Chat botté, animal merveilleux et rusé, échappe non sans peine à l'ogre, à cause de ses bottes « qui ne valaient rien pour marcher sur les tuiles ». Tantôt il s'agit d'affirmer que le merveilleux n'est peut-être qu'une variante du récit qui pourrait,

---

1. Marc Escola, *Contes de Charles Perrault, op. cit.*, p. 107-116.

aussi, s'expliquer par la vraisemblance psychologique. Par exemple, lorsque la Belle au bois dormant se pique à son fuseau, le narrateur affirme d'abord qu'elle est « fort vive, un peu étourdie », avant de rappeler que « d'ailleurs l'Arrêt des Fées l'ordonnait ainsi ». On trouve la même hésitation feinte à propos de la métamorphose de Riquet à la Houppe, qui peut être comprise tout à la fois comme l'accomplissement du don des fées ou comme l'effet de l'amour, capable de rendre beau le plus laid.

Cette polyphonie spirituelle est caractéristique du badinage galant qui repose sur une connivence entre lettrés, mais elle rend compte également, rappelons-le, de la « modernité » des contes, capables de transformer une matière orale brute en œuvre littéraire. Il ne faut donc pas s'y tromper : si ces contes font mine de s'adresser à des enfants, ce n'est pas par leurs invraisemblances mais bien parce qu'ils sollicitent le goût du jeu, du déchiffrement qui consiste à ne jamais prendre pour argent comptant le « dit » du récit.

## Moralités ?

Données en vers, à la fin de chaque conte, les moralités apparaissent tout d'abord comme une nouvelle loi du genre du conte selon Perrault, et comme un argument essentiel pour différencier les contes de nourrices de ceux des Anciens, lesquels, selon la dédicace des récits en vers, plaisent sans instruire, soit qu'il donnent une morale « mauvaise » (La matrone d'Éphèse), soit que leur sens soit « impénétrable » (Psyché). En revanche, loin d'être de « pures bagatelles », les contes de nos aïeux, repris par les écrivains modernes, ont une morale « très sensée », « louable et instructive » (préface des *Histoires ou contes du temps passé*).

Le titre du recueil de 1697 affiche explicitement cette supériorité du conte moderne : *Histoire ou contes du temps passé. Avec des Moralités.* Les nourrices racontaient des histoires aux enfants dans un souci pédagogique, pour les instruire des dangers du monde et leur donner des règles de conduite. C'est le principe du « conte d'avertissement » dans la tradition orale, dont *Le Petit Chaperon rouge* est un avatar. La morale serait donc, selon Perrault, indissociable du genre du conte. Le narrateur rappelle en ces termes, à la fin de *Peau d'Âne*, la vertu pédagogique de l'histoire :

> Il n'est pas malaisé de voir
> Que le but de ce Conte est qu'un Enfant apprenne
> Qu'il vaut mieux s'exposer à la plus rude peine
> Que de manquer à son devoir

La morale des contes de nourrices serait donc prescriptive, elle donnerait des principes de bonne conduite, parfois sous forme de maximes pour en favoriser la mémorisation : « L'industrie et le savoir faire / Valent mieux que des biens acquis » (*Le Chat botté*), « La Vertu peut être infortunée / Mais […] elle est toujours couronnée » (*Peau d'Âne*), « La curiosité malgré tous ses attraits / Coûte souvent bien des regrets » (*La Barbe bleue*).

Cependant, selon le principe polyphonique du recueil, ces sages prescriptions sont remises en cause par le narrateur des années 1690, qui entend faire comprendre à son public que ces moralités étaient celles que les nourrices destinaient aux enfants et que l'histoire peut revêtir un tout autre sens pour un adulte de la fin du XVIIᵉ siècle. Ainsi, la sage morale du conte se voit contredite par le récit lui-même : la curiosité de la jeune épouse de la Barbe bleue permet de révéler la cruauté du châtelain et peut-être d'échapper à un destin funeste. La présence, dans la majorité des contes, d'une seconde moralité qui vient infléchir le sens de la première permet également de mettre en doute la morale des nourrices : est-ce la vertu de Peau d'Âne qui a été récompensée, ou ses « beaux habits » ?

Les morales des contes de Perrault seraient alors moins prescriptives que « descriptives » dans le sens où elles donneraient la clef des cœurs et des comportements humains. Dans cette perspective moraliste, la faillite de la morale prescriptive s'explique : quels que soient les commandements, les hommes agissent selon leurs passions et leurs intérêts, ce que montrent à la même époque La Bruyère et La Rochefoucauld. Ainsi, la barbe de celui qui possède une immense richesse n'est finalement pas « si bleue » aux yeux de la jeune fille prête à oublier ce détail rebutant au premier abord pour profiter de l'argent de son époux. Le narrateur peut donc souligner que certaines moralités sont en fait inutiles, puisqu'elles ne seraient valables que pour le temps jadis : « On ne trouve plus de femelle / Qui dormît si tranquillement », affirme la moralité de *La Belle au bois dormant* ; « On voit bientôt que cette histoire / Est un conte du temps passé », précise celle de *La Barbe bleue*, suggérant que désormais ce sont les femmes qui gouvernent leur mari. Mais il ne faudrait pas trop vite transformer Perrault en sombre moraliste : le sourire prime sur le constat amer. Si la moralité de *La Barbe bleue* constate que les maris désormais sont contraints de « filer doux » devant leurs épouses, ce qui pourrait être interprété comme une marque de connivence avec le lectorat féminin, *Les Souhaits ridicules* montrent cependant la bêtise d'un mari qui, à se laisser guider par son épouse, perd non seulement la tranquillité mais aussi tout un royaume ! La morale des nourrices est plaisamment mise en faillite par le narrateur qui en suggère l'impossible application chez les hommes de son monde et de son siècle. Ainsi, le Chat botté a beau déployer toute l'énergie possible, on ne peut s'empêcher de penser que la « bonne mine » du faux « Marquis de Carabas » est pour beaucoup dans sa promotion sociale. La « bonne grâce » de Cendrillon est sans doute utile pour se faire aimer des puissants, mais l'appui de protecteurs, « parrains ou marraines » l'est peut-être davantage.

Les moralités « louables et instructives » des contes du temps passé sont donc soumises au regard critique du conteur mondain, défenseur des progrès de la raison et observateur lucide des mœurs de son temps. Les contes de Perrault impliquent un déchiffrement, une attention toute particulière de la part du lecteur : « ils renferment tous une Morale très sensée, et qui se découvre plus ou moins, selon le degré de pénétration de ceux qui les lisent » (« À Mademoiselle »). Il ne serait décidément pas bon que ces contes soient pleinement compris des enfants, qui risquent d'y apprendre que l'on se fait dévorer par un loup parce qu'on a pris le temps de cueillir des noisettes, que la « bonne mine » fait mieux que la vertu et l'industrie [1]. D'ailleurs, de nombreuses éditions pour la jeunesse donnent les contes sans leur moralité. L'ambiguïté voulue des moralités invite le lecteur adulte à relire le conte, pour découvrir des significations auxquelles il n'avait pas pensé à la première lecture. L'intérêt se déplace de la morale du conte à son sens, de la pédagogie à la littérature.

## Les clefs des contes

Pourtant si le narrateur en appelle à notre « pénétration » pour déceler la véritable morale des contes, le

---

1. Voir la lecture amusante de la petite Liette rapportée par Jules Lemaître dans son ouvrage *En marge des vieux livres* (1907), citée par Marc Escola, *Contes de Charles Perrault*, *op. cit.*, p. 117-118.

célèbre prologue de *Peau d'Âne* fonde le plaisir du conte sur le « sommeil » de la raison :

> Pourquoi faut-il s'émerveiller
> Que la Raison la mieux sensée
> Lasse souvent de trop veiller
> Par des contes d'Ogre et de Fée
> Ingénieusement bercée
> Prenne plaisir à sommeiller ?

C'est là tout le paradoxe – et toute la richesse – de ces contes, que de se présenter comme des « bagatelles », des « contes faits à plaisir » destinés à rappeler les émotions de l'enfance, et en même temps de plaider pour leur grande moralité et de s'adresser à un public adulte. Le processus est subtil : c'est « la Raison la mieux sensée » qui prend « plaisir à sommeiller », c'est-à-dire qu'il faut être capable de raison, de « pénétration » pour apprécier à sa juste valeur l'ingéniosité des contes, leur « naïveté » concertée. Ainsi, si Perrault se plaît à créer l'illusion d'un imaginaire enfantin, c'est peut-être pour mieux engager l'adulte à en chercher les clefs. Au vu des multiples interprétations qui existent de ces contes, on peut dire que c'est une réussite [1] !

Pour se conformer à l'imaginaire enfantin, Perrault préfère le pouvoir suggestif des images et des symboles aux analyses psychologiques ou aux conversations précieuses qui émaillent souvent les histoires des conteuses de l'époque [2]. Il privilégie par exemple cer-

---

1. Pour un aperçu synthétique des interprétations, nous renvoyons à l'introduction par Tony Gheeraert aux *Contes* de Perrault, en particulier à la partie intitulée « Le maquis des interprétations », dans *La Bibliothèque des génies et des fées*, vol. 4, Champion, 2005, p. 86-98.

2. La seule entorse à la règle – mais la variété est une autre règle du conte – se trouve dans *Riquet à la Houppe*, dans lequel Riquet et la princesse devenue spirituelle se livrent à une conversation galante. Le conte est lui-même singulier puisqu'il a pu naître d'une compétition amicale avec Catherine Bernard.

tains détails que les enfants retiennent très facilement. Les couleurs – rouge pour le chaperon, bleue pour la barbe – sont présentes dès le titre des contes alors qu'elles n'en sont pas l'objet principal. On sait que les psychanalystes interprètent le rouge, couleur du sang, comme le symbole du passage de l'enfance à l'âge adulte. L'interprétation est plus difficile pour le bleu, mais le détail n'est pas moins signifiant puisque la couleur, appliquée à la barbe, suggère une menace, une anomalie monstrueuse. La rareté des objets magiques permet également de leur donner un supplément d'efficacité : la pantoufle de verre, également présente dès le titre, la clef-fée sur laquelle le sang ne s'efface pas, les bottes du chat, qui lui donnent de l'allure certes, mais qui ne servent à rien sinon à l'embarrasser, sont dans toutes les mémoires. En outre, alors que Perrault écrit des contes brefs, il se plaît à quelques digressions, purement ludiques, « gratuites », qui fascinent les enfants : c'est le récit de la métamorphose du carrosse et de son personnel dans *Cendrillon*, ou celui du sommeil contagieux de la Belle au bois dormant. Ces deux épisodes digressifs sont d'ailleurs exploités à loisir par Walt Disney dans ses célèbres adaptations des deux contes. En somme, la focalisation sur les couleurs et les détails invite à la recherche de clefs, de symboles, mais on peut se demander si elle n'est pas, surtout, un moyen ludique de faire semblant de crypter l'histoire. Par exemple, la présence du chiffre sept, chiffre de la perfection, peut paraître éminemment symbolique : sept frères dans *Le Petit Poucet*, sept fées dans *La Belle au bois dormant*... Mais les frères sont en fait huit moins un, et les fées sept plus une : le chiffre sept n'est qu'un leurre [1].

Peindre le monde selon l'enfant, c'est aussi en peindre les angoisses. Pour Marc Soriano, les contes

---

1. Voir néanmoins l'interprétation de Marc Escola sur *Le Petit Poucet*, dans *Contes de Charles Perrault*, « Impair et manque », *op. cit.*

laissent affleurer le « traumatisme » de Charles Perrault dont le frère jumeau est mort à l'âge de six mois. Il traque ainsi les manifestations de cette obsession du conteur, sensible par exemple dans le motif de la gémellité et la préséance des cadets dans les contes [1]. La critique psychanalytique s'est attachée à rendre compte de la « face cachée » des contes : la cruauté, les bains de sang – « (c'étaient toutes les femmes que la Barbe bleue avait épousées et qu'il avait égorgées l'une après l'autre) » –, les ogres avides de « chair fraîche », les mères et grands-mères « folles » de leurs enfants au point de les laisser dans l'ignorance (*Le Petit Chaperon rouge*), les belles-mères abusives, les pères incestueux correspondent aux peurs enfantines. Or ces représentations sont salutaires, car l'enfant peut s'identifier au héros vainqueur et par là même triompher de ses angoisses. Le psychiatre Bruno Bettelheim, auteur d'une *Psychanalyse des contes de fées*, a même reproché à Perrault d'avoir trop « moralisé » le conte, privant l'enfant du loisir d'imaginer – ce que l'on peut contester –, et d'autre part d'avoir failli à la loi du conte en refusant un dénouement heureux au *Petit Chaperon rouge*, ce qui laisserait l'enfant face à ses angoisses. Mais, précisément, les contes de Perrault ne s'adressent pas en premier lieu aux enfants : ce n'est qu'au XIXᵉ siècle qu'ils ont été rattachés à la littérature enfantine, et ce, souvent avec des modifications.

L'adulte, raisonnable et rationnel, se laisse lui aussi charmer, « bercer » par l'imaginaire des contes, mais il entend en percer les mystères et trouver des explications à ces détails plus ou moins signifiants qui construisent le langage du conte. De même que l'on a, depuis l'Antiquité, rédigé des clefs des songes, l'adulte cherche la clef des contes. Le plus simple est sans doute

---

1. Le motif est présent dans *Riquet à la Houppe* et dans *Le Petit Poucet* ; voir M. Soriano, *Les Contes de Perrault. Culture savante et tradition populaire*, *op. cit.*, p. 454.

d'envisager le conte comme un miroir de l'époque à laquelle il a été créé. Perrault, défenseur du siècle de Louis XIV, propose ainsi, notamment, une réflexion sur le pouvoir. À la fin de *Griselidis*, le narrateur souligne la force aveuglante du pouvoir, qui littéralement risque de mettre en sommeil la raison des peuples :

> Des Peuples réjouis la complaisance est telle
> Pour leur Prince capricieux,
> Qu'ils vont jusqu'à louer son épreuve cruelle,
> À qui d'une vertu si belle,
> Si séante au beau sexe, et si rare en tous lieux,
> On doit un si parfait modèle [1].

Une autre clef possible serait d'envisager les contes comme une réflexion, enjouée certes, sur la nature humaine. Dans *Les Souhaits ridicules*, mais aussi dans *Le Petit Poucet* et *Les Fées*, le conteur représente l'homme toujours insatisfait, incapable de « connaître ce qui lui convient », jusqu'à la folie cruelle : faut-il abandonner ses enfants faute de savoir gérer son argent ? Mourir « au coin d'un bois » pour n'avoir pas su bien parler ?

Dans cette quête du sens, la tâche du commentateur n'est pas simple, car le narrateur prend soin de prévenir son lecteur qu'il existe plusieurs versions de l'histoire, et que donc le conte n'est pas le même pour tous. Aux questions du prince sur le bois qu'il doit franchir pour trouver la Belle endormie, « chacun [...] répondit selon qu'il en avait ouï parler », et chacun donne sa version de l'histoire. « Il y a bien des gens qui

---

1. Sur ce conte, voir Anne Defrance, « La politique du conte aux XVIIe et XVIIIe siècles », *Féeries. Études sur le conte merveilleux à l'âge classique*, Grenoble, ELLUG, 2006, n° 3, p. 17-28. Pour la représentation du pouvoir dans les contes, voir également les études de Louis Marin sur *Le Petit Poucet* et sur *Peau d'Âne* : « L'ogre de Charles Perrault ou le portrait inversé du roi », in *L'Ogre. Mélanges pour Jacques Le Goff*, Gallimard, 1992, p. 283-302 ; « La voix d'un conte : entre La Fontaine et Perrault, sa récriture », *Critique*, 394, mars 1980, p. 333-342.

ne demeurent pas d'accord » sur le fait que le petit Poucet aurait volé le trésor de l'ogre. Quant à la beauté du gnome Riquet, « quelques-uns assurent que ce ne furent point les charmes de la Fée qui opérèrent mais que l'Amour seul fit cette Métamorphose » – d'ailleurs, la fin du conte ne mentionne jamais cette beauté mais préfère en rester à « l'estime » que suscite ce prince « spirituel et très sage ». Le principe des contes de Perrault est précisément de refuser l'univocité du sens, de refuser, pour le dire autrement, une réduction à l'allégorie. On ne peut par exemple réduire *Griselidis* à un éloge de la patience, ou *Peau d'Âne* à un exemple de vertu récompensée sans appauvrir considérablement le conte. Les contes sollicitent la sagacité du lecteur, et c'est peut-être d'ailleurs la clef de leur longévité, non seulement parce qu'ils donnent lieu à une quête inépuisable de sens – et nous n'avons pas rendu compte de toutes les interprétations, ésotériques, symboliques, mythiques qui existent à leur propos [1] –, mais aussi, et l'on retrouve l'efficacité du modèle originel de la transmission orale, parce qu'ils nous autorisent à être conteurs à notre tour, à choisir notre version du conte, parmi tous ses possibles [2].

---

1. Un seul exemple : selon les principes de la mythologie comparée, Hyacinte Husson s'applique à montrer que les contes de Perrault renvoient aux mythes météorologiques orientaux : le petit Chaperon rouge représenterait l'aurore interceptée par le « soleil dévorateur » qu'est le loup (voir *La Chaîne traditionnelle. Contes et légendes au point de vue mythique*, 1874). Pour d'autres exemples de ce type, nous renvoyons à l'introduction des contes de Perrault dans le volume de la *Bibliothèque des génies et des fées*, *op. cit.*, p. 90-93.

2. Nous renvoyons sur ce point à la fin de l'essai cité de Marc Escola qui propose cinq manières d'« affabuler » les contes selon le principe qu'« il est toujours possible de refaire le conte autrement », et aux propositions de Jean-Paul Sermain sur les « jeux de construction » des contes : « le récit se développe sur plusieurs lignes narratives à la fois, condense plusieurs histoires qui ne s'excluent pas, mais semblent se concurrencer au gré de certains détails ou de certaines clés interprétatives », *Le Conte de fées du classicisme aux Lumières*, *op. cit.*, p. 101-104.

## Le conte en images

Genre qui en appelle à l'imaginaire, le conte semble indissociable de nos jours des illustrations toujours plus inventives des artistes qui se confrontent à la gageure de représenter le merveilleux, l'invisible ou encore la métamorphose. Le livre de contes illustré destiné à la jeunesse ne date pourtant que du XIX<sup>e</sup> siècle. À l'âge classique, les éditions illustrées des contes de fées sont rares, onéreuses et dépendent essentiellement du désir du libraire-imprimeur qui peut décider des scènes à illustrer sans même consulter l'auteur [1]. Perrault fait alors figure d'exception et de pionnier. Le manuscrit de 1695 des *Contes de ma mère l'Oye* est orné d'un frontispice et de vignettes coloriés à la gouache, qui servent de modèles aux gravures de Clouzier pour l'édition de 1697. Les *Histoires ou contes du temps passé* de 1697 comportent ainsi un frontispice et une vignette par conte. D'emblée, Perrault associe le conte à l'image.

L'image se comprend en général en rapport avec le texte qui lui donne sens, comme le montre le recours à la légende encore utilisée par Gustave Doré pour ses illustrations des contes en 1862. Mais l'image est réciproquement une lecture du texte, auquel elle apporte un supplément de sens. À ce propos, on pourra être attentif au choix des scènes représentées. Ainsi, pour *La Barbe bleue*, les illustrateurs de l'âge classique représentent volontiers la scène de la délivrance de la jeune femme, la tour de la sœur Anne ou l'arrivée des frères qui interrompent le geste meurtrier de la Barbe bleue, mais jamais le cabinet sanglant. Même Gustave Doré, particulièrement attentif à l'aspect cruel et inquiétant des contes, le laissera dans l'ombre. Pour le conte de fées, on pourrait supposer

---

1. Christophe Martin, « L'illustration du conte de fées (1697-1789) », *CAIEF*, 2005, p. 113-132.

que les illustrateurs se consacrent à la représentation du merveilleux, propice à l'invention et à l'imagination. C'est en effet ce qui se passe à partir du XIXᵉ siècle, mais dans les premières éditions illustrées les représentations du merveilleux sont rares. Pour l'édition de 1697, seules deux vignettes sur huit se donnent pour sujet un phénomène « merveilleux », sans effet spectaculaire d'ailleurs : un chat botté debout interpelle un paysan, un personnage minuscule essaye d'ôter les bottes d'un autre visiblement immense. Les vignettes de l'édition originale suggèrent néanmoins déjà, en toute simplicité, la puissance évocatoire du conte, proche de celle du rêve : le frontispice montre que les contes se font à la veillée, l'ogre du *Petit Poucet* est représenté endormi, et la vignette du *Petit Chaperon rouge* laisse affleurer le cauchemar : un loup immense à peine caché par les draps se jette sur sa victime, sans que l'on puisse distinguer clairement s'il s'agit de la grand-mère ou de la petite fille. En 1785, pour l'édition des contes de Perrault dans *Le Cabinet des fées*, vaste anthologie des contes de l'âge classique, le graveur Clément Marillier s'attache à figurer ce que nous avons appelé la « face cachée » des contes, proposant des situations plus dramatiques : le petit Poucet et ses frères devant la cheminée de l'ogre qui s'apprête à les faire rôtir, la Barbe bleue sur le point de trancher la gorge de son épouse [1]. Avec Marillier, les gravures ne sont plus réduites à des vignettes mais deviennent des planches comme avec Gustave Doré.

Le souhait de l'illustrateur des premières éditions serait alors surtout de produire un « effet de naïveté et d'archaïsme [2] », conformément à la volonté de Per-

---

1. On peut observer les illustrations des éditions de 1695, 1697 et 1785 sur le site de la Bibliothèque nationale de France dans l'exposition virtuelle consacrée aux contes de fées.
2. Christophe Martin, « L'illustration du conte de fées (1697-1789) », art. cité, p. 119-121.

rault d'en appeler à l'enfance de son lecteur adulte. Les images sont ainsi très simples, pouvant rappeler les traits des dessins d'enfants. Le frontispice, dont la fonction est de rendre compte de l'esprit de l'ensemble du livre, représente la situation d'énonciation évoquée dans les textes préfaciels. Louis Marin fait ainsi de la gravure inaugurale une véritable « préface-image » du recueil [1]. On y voit dans l'intimité d'une pièce fermée, au coin d'un feu de cheminée, une vieille femme, à son rouet, racontant des histoires à un auditoire visiblement captivé. Cet auditoire n'est pas uniquement composé de jeunes enfants, et le jeune homme assis sur une chaise pourrait fort bien être une représentation du jeune Pierre Perrault en situation de « collecte » des contes. On décèle au fond de la pièce une plaque sur laquelle est gravé le titre initialement donné au recueil dans le manuscrit de 1695 : *Contes de ma mère l'Oye*. L'image figure bel et bien l'argumentaire de la préface : les contes trouvent leur origine dans la transmission orale ; c'est l'écriture qui va les constituer comme récits dignes d'être transmis. On ne peut mieux représenter un passage de relais entre la nourrice de la veillée et l'écrivain moderne.

L'idée de ce frontispice est reprise par Gustave Doré en 1862, pour l'édition Hetzel des contes destinée à la jeunesse (voir p. 44). L'auditoire est cependant plus enfantin, et surtout, l'attention se porte désormais sur le livre et non sur la voix de la grand-mère conteuse. En 1862, c'est en effet le livre des contes de Perrault qui appartient à la tradition, comme le laisse penser également le tableau en arrière-plan, représentant la scène du *Petit Poucet* à la manière des gravures de Clouzier. Dans cette édition, l'ordre des contes est bouleversé, les moralités sont supprimées et la version en prose de *Peau d'Âne* est ajoutée : nous

---

1. L. Marin, « Préface-image. Le frontispice des contes-de-Perrault », art. cité.

avons bien affaire à une relecture pour la jeunesse des contes de Perrault. Il faut préciser que les contes de Grimm ont été publiés au début du XIXᵉ siècle : ils plaidaient pour un retour à l'authenticité populaire et proposaient des versions remaniées des contes de Perrault. La récurrence de scènes rustiques dans les gravures de Doré peut donc aussi s'expliquer par cette influence des contes de Grimm, conjuguée à celle du mouvement romantique qui s'intéresse à la peinture de la nature sauvage. L'illustration, en ce sens, suggère comment une époque donnée tente de s'approprier un texte. Notons que le nombre d'illustrations pour chaque conte dans l'édition Hetzel est fort variable : à l'unique gravure de *Riquet à la Houppe* s'opposent les onze scènes du *Petit Poucet* qui semble avoir exercé une véritable fascination sur l'illustrateur.

Indéniablement, il appartient à Gustave Doré d'avoir représenté les aspects cruel, obscur et fantasmatique des contes. Nous renvoyons aux commentaires de ces illustrations donnés à la fin de cette édition (p. 227 *sq.*). Citons simplement, à titre d'exemples, la troublante représentation de la fascination de la petite fille pour le loup déguisé dans le lit (voir p. 146-147), ou encore le regard de la jeune épouse de Barbe bleue, littéralement attaché sur la « petite clef » du cabinet, devenue immense, et évitant ainsi le terrible regard de son époux (voir p. 153). On pourra être attentif également aux proportions des illustrations, aux jeux de perspectives absents des vignettes de 1697 : les imposants châteaux de Barbe bleue ou de l'ogre du *Chat botté*, les arbres gigantesques qui semblent menacer les enfants dans la forêt. Gustave Doré a su rendre compte de l'univers inquiétant des contes, en donnant véritablement à voir ce que le conte suggère, rendant explicite ce qui demeurait implicite dans le texte, au point peut-être de l'écraser par sa monumentalité.

## Présentation

L'illustration des contes de Perrault par Gustave Doré est la rencontre étonnante, fascinante sans doute, de l'esthétique classique, éprise de « naïveté », et de l'esthétique romantique, flamboyante et onirique.

Christelle BAHIER-PORTE.

# CONTES EN VERS

*La lecture des contes en famille*

# PRÉFACE

La manière dont le Public a reçu les Pièces de
ce Recueil, à mesure qu'elles lui ont été données
séparément, est une espèce d'assurance qu'elles
ne lui déplairont pas en paraissant toutes ensemble. Il est vrai que quelques personnes qui
affectent de paraître graves, et qui ont assez
d'esprit pour voir que ce sont des Contes faits à
plaisir, et que la matière n'en est pas fort importante, les ont regardés avec mépris ; mais on a
eu la satisfaction de voir que les gens de bon
goût n'en ont pas jugé de la sorte.

Ils ont été bien aise de remarquer que ces bagatelles n'étaient pas de pures bagatelles, qu'elles
renfermaient une morale utile, et que le récit
enjoué dont elles étaient enveloppées n'avait été
choisi que pour les faire entrer plus agréablement
dans l'esprit et d'une manière qui instruisît et
divertît tout ensemble. Cela devrait me suffire
pour ne pas craindre le reproche de m'être amusé
à des choses frivoles. Mais comme j'ai affaire à
bien des gens qui ne se payent pas de raisons et
qui ne peuvent être touchés que par l'autorité et
par l'exemple des Anciens, je vais les satisfaire
là-dessus. Les Fables Milésiennes si célèbres parmi
les Grecs, et qui ont fait les délices d'Athènes et

de Rome, n'étaient pas d'une autre espèce que les Fables de ce Recueil. L'Histoire de la Matrone d'Éphèse est de la même nature que celle des Griselidis : ce sont l'une et l'autre des Nouvelles, c'est-à-dire des Récits de choses qui peuvent être arrivées, et qui n'ont rien qui blesse absolument la vraisemblance. La Fable de Psyché écrite par Lucien et par Apulée est une fiction toute pure et un conte de Vieille comme celui de Peau d'Âne. Aussi voyons-nous qu'Apulée le fait raconter par une vieille femme à une jeune fille que des voleurs avaient enlevée, de même que celui de Peau d'Âne est conté tous les jours à des Enfants par leurs Gouvernantes, et par leurs Grand-mères. La Fable du Laboureur qui obtint de Jupiter le pouvoir de faire comme il lui plairait la pluie et le beau temps, et qui en usa de telle sorte, qu'il ne recueillit que de la paille sans aucuns grains, parce qu'il n'avait jamais demandé ni vent, ni froid, ni neige, ni aucun temps semblable ; chose nécessaire cependant pour faire fructifier les plantes : cette Fable, dis-je, est de même genre que le Conte des Souhaits Ridicules, si ce n'est que l'un est sérieux et l'autre comique ; mais tous les deux vont à dire que les hommes ne connaissent pas ce qu'il leur convient, et sont plus heureux d'être conduits par la Providence, que si toutes choses leur succédaient selon qu'ils le désirent. Je ne crois pas qu'ayant devant moi de si beaux modèles dans la plus sage et la plus docte Antiquité, on soit en droit de me faire aucun reproche. Je prétends même que mes Fables méritent mieux d'être racontées

que la plupart des Contes anciens, et particulièrement celui de la Matrone d'Éphèse et celui de
Psyché, si l'on les regarde du côté de la Morale,
chose principale dans toute sorte de Fables, et
pour laquelle elles doivent avoir été faites. Toute
la moralité qu'on peut tirer de la Matrone
d'Éphèse est que souvent les femmes qui semblent les plus vertueuses le sont le moins, et
qu'ainsi il n'y en a presque point qui le soient
véritablement.

Qui ne voit que cette Morale est très mauvaise, et qu'elle ne va qu'à corrompre les
femmes par le mauvais exemple, et à leur faire
croire qu'en manquant à leur devoir elles ne
font que suivre la voie commune. Il n'en est pas
de même de la Morale de Griselidis, qui tend à
porter les femmes à souffrir de leurs maris, et à
faire voir qu'il n'y en a point de si brutal ni de
si bizarre, dont la patience d'une honnête
femme ne puisse venir à bout. À l'égard de la
Morale cachée dans la Fable de Psyché, Fable
en elle-même très agréable et très ingénieuse, je
la comparerai avec celle de Peau d'Âne quand
je la saurai, mais jusqu'ici je n'ai pu la deviner.
Je sais bien que Psyché signifie l'Âme ; mais je
ne comprends point ce qu'il faut entendre par
l'Amour qui est amoureux de Psyché, c'est-à-
dire de l'Âme, et encore moins ce qu'on ajoute,
que Psyché devait être heureuse, tant qu'elle ne
connaîtrait point celui dont elle était aimée, qui
était l'Amour, mais qu'elle serait très malheureuse
dès le moment qu'elle viendrait à le connaître :
voilà pour moi une énigme impénétrable. Tout
ce qu'on peut dire, c'est que cette Fable de

même que la plupart de celles qui nous restent
des Anciens n'ont été faites que pour plaire sans
égard aux bonnes mœurs qu'ils négligeaient
beaucoup. Il n'en est pas de même des contes
que nos aïeux ont inventés pour leurs Enfants.
Ils ne les ont pas contés avec l'élégance et les
agréments dont les Grecs et les Romains ont
orné leurs Fables ; mais ils ont toujours eu un
très grand soin que leurs contes renfermassent
une moralité louable et instructive. Partout la
vertu y est récompensée, et partout le vice y est
puni. Ils tendent tous à faire voir l'avantage qu'il
y a d'être honnête, patient, avisé, laborieux,
obéissant, et le mal qui arrive à ceux qui ne le
sont pas. Tantôt ce sont des Fées qui donnent
pour don à une jeune fille qui leur aura répondu
avec civilité, qu'à chaque parole qu'elle dira, il
lui sortira de la bouche un diamant ou une
perle ; et à une autre fille qui leur aura répondu
brutalement, qu'à chaque parole il lui sortira de
la bouche une grenouille ou un crapaud. Tantôt
ce sont des enfants qui pour avoir bien obéi à
leur père ou à leur mère deviennent grands Seigneurs, ou d'autres, qui ayant été vicieux et
désobéissants, sont tombés dans les malheurs
épouvantables. Quelques frivoles et bizarres que
soient toutes ces Fables dans leurs aventures, il
est certain qu'elles excitent dans les Enfants le
désir de ressembler à ceux qu'ils voient devenir
heureux, et en même temps la crainte des malheurs où les méchants sont tombés par leur
méchanceté. N'est-il pas louable à des pères et
à des mères, lorque leurs Enfants ne sont pas
encore capables de goûter les vérités solides et

dénuées de tous agréments, de les leur faire aimer, et si cela se peut dire, les leur faire avaler, en les enveloppant dans des récits agréables et proportionnés à la faiblesse de leur âge ? Il n'est pas croyable avec quelle avidité ces âmes innocentes, et dont rien n'a encore corrompu la droiture naturelle, reçoivent ces instructions cachées ; on les voit dans la tristesse et dans l'abattement, tant que le Héros ou l'Héroïne de Conte sont dans le malheur, et s'écrier de joie quand le temps de leur bonheur arrive ; de même qu'après avoir souffert impatiemment la prospérité du méchant ou de la méchante, ils sont ravis de les voir enfin punis comme ils le méritent. Ce sont des semences qu'on jette qui ne produisent d'abord que des mouvements de joie et de tristesse, mais dont il ne manque guère d'éclore de bonnes inclinations.

J'aurais pu rendre mes Contes plus agréables en y mêlant certaines choses un peu libres dont on a accoutumé de les égayer ; mais le désir de plaire ne m'a jamais assez tenté pour violer une loi que je me suis imposée de ne rien écrire qui pût blesser ou la pudeur ou la bienséance. Voici un Madrigal qu'une jeune Demoiselle de beaucoup d'esprit a composé sur ce sujet, et qu'elle a écrit au-dessous du Conte de Peau d'Âne que je lui avais envoyé.

*Le Conte de Peau d'Âne est ici raconté*
*    Avec tant de naïveté,*
*    Qu'il ne m'a pas moins divertie,*
*Que quand auprès du feu ma Nourrice ou ma Mie*
*Tenaient en le faisant mon esprit enchanté.*

*Contes*

On y voit par endroits quelques traits de Satire,
　　Mais qui, sans fiel et sans malignité,
À tous également font du plaisir à lire :
Ce qui me plaît encor dans sa simple douceur,
　　C'est qu'il divertit et fait rire,
　　Sans que Mère, Époux, Confesseur,
　　Y puissent trouver à redire.

# GRISELIDIS

*Nouvelle*

À Mademoiselle **

*En vous offrant, jeune et sage Beauté,*
    *Ce modèle de Patience,*
    *Je ne me suis jamais flatté*
*Que par vous de tout point il serait imité,*
    *C'en serait trop en conscience.*

    *Mais Paris où l'homme est poli.*
    *Où le beau sexe né pour plaire*
    *Trouve son bonheur accompli.*
    *De tous côtés est si rempli*
    *D'exemples du vice contraire,*
    *Qu'on ne peut en toute saison,*
    *Pour s'en garder ou s'en défaire,*
    *Avoir trop de contrepoison.*

    *Une Dame aussi patiente*
*Que celle dont ici je relève le prix,*
    *Serait partout une chose étonnante,*
    *Mais ce serait un prodige à Paris.*

    *Les femmes y sont souveraines,*
    *Tout s'y règle selon leurs vœux,*

51

*Enfin c'est un climat heureux*
*Qui n'est habité que de Reines.*

*Ainsi je vois que de toute façon,*
*Griselidis y sera peu prisée,*
*Et qu'elle y donnera matière de risée,*
*Par ses trop antiques leçons.*

*Ce n'est pas que la Patience*
*Ne soit une vertu des Dames de Paris,*
*Mais par un long usage elles ont la science*
*De la faire exercer par leurs propres maris.*

# GRISELIDIS

Au pied des célèbres montagnes
Où le Pô s'échappant de dessous ses roseaux,
Va dans le sein des prochaines campagnes
Promener ses naissantes eaux,
Vivait un jeune et vaillant Prince,
Les délices de sa Province :
Le ciel, en le formant, sur lui tout à la fois
Versa ce qu'il a de plus rare,
Ce qu'entre ses amis d'ordinaire il sépare,
Et qu'il ne donne qu'aux grands Rois.

Comblé de tous les dons et du corps et de l'âme,
Il fut robuste, adroit, propre au métier de Mars,
Et par l'instinct secret d'une divine flamme,
Avec ardeur il aima les beaux Arts.
Il aima les combats, il aima la victoire,
Les grands projets, les actes valeureux,
Et tout ce qui fait vivre un beau nom dans
l'histoire ;
Mais son cœur tendre et généreux
Fut encor plus sensible à la solide gloire
De rendre ses Peuples heureux.

Ce tempérament héroïque
Fut obscurci d'une sombre vapeur

Qui, chagrine et mélancolique,
Lui faisait voir dans le fond de son cœur
Tout le beau sexe infidèle et trompeur :
Dans la femme où brillait le plus rare mérite,
Il voyait une âme hypocrite,
Un esprit d'orgueil enivré,
Un cruel ennemi qui sans cesse n'aspire
Qu'à prendre un souverain empire
Sur l'homme malheureux qui lui sera livré.

Le fréquent usage du monde,
Où l'on ne voit qu'Époux subjugués ou trahis,
Joint à l'air jaloux du Pays,
Accrut encor cette haine profonde.
Il jura donc plus d'une fois
Que quand même le Ciel pour lui plein de ten-
[dresse
Formerait une autre Lucrèce,
Jamais de l'hyménée il ne suivrait les lois.

Ainsi, quand le matin, qu'il donnait aux affaires,
Il avait réglé sagement
Toutes les choses nécessaires
Au bonheur du gouvernement,
Que du faible orphelin, de la veuve oppressée,
Il avait conservé les droits,
Ou banni quelque impôt qu'une guerre forcée
Avait introduit autrefois,
L'autre moitié de la journée
À la chasse était destinée,
Où les Sangliers et les Ours,
Malgré leur fureur et leurs armes
Lui donnaient encor moins d'alarmes
Que le sexe charmant qu'il évitait toujours.

Cependant ses sujets que leur intérêt presse
    De s'assurer d'un successeur
Qui les gouverne un jour avec même douceur,
À leur donner un fils le conviaient sans cesse.

Un jour dans le Palais ils vinrent tous en corps
    Pour faire leurs derniers efforts ;
    Un Orateur d'une grave apparence,
    Et le meilleur qui fût alors,
Dit tout ce qu'on peut dire en pareille occurrence.
    Il marqua leur désir pressant
De voir sortir du Prince une heureuse lignée
Qui rendît à jamais leur État florissant ;
    Il lui dit même en finissant
    Qu'il voyait un Astre naissant
    Issu de son chaste hyménée
    Qui faisait pâlir le Croissant.

    D'un ton plus simple et d'une voix moins
                     forte,
Le Prince à ses sujets répondit de la sorte :

    « Le zèle ardent, dont je vois qu'en ce jour
    Vous me portez aux nœuds du mariage,
    Me fait plaisir, et m'est de votre amour
        Un agréable témoignage ;
        J'en suis sensiblement touché,
Et voudrais dès demain pouvoir vous satisfaire :
    Mais à mon sens l'hymen est une affaire
Où plus l'homme est prudent, plus il est empê-
                   [ché.

    Observez bien toutes les jeunes filles ;
    Tant qu'elles sont au sein de leurs familles,
    Ce n'est que vertu, que bonté,

Que pudeur, que sincérité,
Mais sitôt que le mariage
Au déguisement a mis fin,
Et qu'ayant fixé leur destin
Il n'importe plus d'être sage,
Elles quittent leur personnage,
Non sans avoir beaucoup pâti,
Et chacune dans son ménage
Selon son gré prend son parti.

L'une d'humeur chagrine, et que rien ne récrée,
Devient une Dévote outrée,
Qui crie et gronde à tous moments ;
L'autre se façonne en Coquette,
Qui sans cesse écoute ou caquette,
Et n'a jamais assez d'Amants ;
Celle-ci des beaux Arts follement curieuse,
De tout décide avec hauteur,
Et critiquant le plus habile Auteur,
Prend la forme de Précieuse ;
Cette autre s'érige en Joueuse,
Perd tout, argent, bijoux, bagues, meubles de prix,
Et même jusqu'à ses habits.

Dans la diversité des routes qu'elles tiennent,
Il n'est qu'une chose où je vois
Qu'enfin toutes elles conviennent,
C'est de vouloir donner la loi.
Or je suis convaincu que dans le mariage
On ne peut jamais vivre heureux,
Quand on y commande tous deux ;
Si donc vous souhaitez qu'à l'hymen je m'engage,
Cherchez une jeune beauté
Sans orgueil et sans vanité,

D'une obéissance achevée,
D'une patience éprouvée,
Et qui n'ait point de volonté,
Je la prendrai quand vous l'aurez trouvée. »
Le Prince ayant mis fin à ce discours moral,
Monte brusquement à cheval,
Et court joindre à perte d'haleine
Sa meute qui l'attend au milieu de la plaine.

Après avoir passé des prés et des guérets,
Il trouve ses Chasseurs couchés sur l'herbe verte ;
Tous se lèvent et tous alertes
Font trembler de leurs cors les hôtes des forêts.
Des chiens courants l'aboyante famille,
Deçà, delà, parmi le chaume brille,
Et les limiers à l'œil ardent
Qui du fort de la Bête à leur poste reviennent,
Entraînent en les regardant
Les forts valets qui les retiennent.

S'étant instruit par un des siens
Si tout est prêt, si l'on est sur la trace,
Il ordonne aussitôt qu'on commence la chasse,
Et fait donner le Cerf aux chiens.
Le son des cors qui retentissent,
Le bruit des chevaux qui hennissent
Et des chiens animés les pénétrants abois,
Remplissent la forêt de tumulte et de trouble,
Et pendant que l'écho sans cesse les redouble,
S'enfoncent avec eux dans les plus creux du bois.

Le Prince, par hasard ou par sa destinée,
Prit une route détournée
Où nul des Chasseurs ne le suit ;

Plus il court, plus il s'en sépare :
Enfin à tel point il s'égare
Que des chiens et des cors il n'entend plus le
[bruit.

L'endroit où le mena sa bizarre aventure,
    Clair de ruisseaux et sombre de verdure,
Saisissait les esprits d'une secrète horreur ;
        La simple et naïve Nature
    S'y faisait voir et si belle et si pure,
    Que mille fois il bénit son erreur.

        Rempli des douces rêveries
Qu'inspirent les grands bois, les eaux et les prai-
                    [ ries,
Il sent soudain frapper et son cœur et ses yeux
        Par l'objet le plus agréable,
        Le plus doux et le plus aimable
        Qu'il eût jamais vu sous les Cieux.

        C'était une jeune Bergère
        Qui filait aux bords d'un ruisseau,
        Et qui conduisant son troupeau,
        D'une main sage et ménagère
        Tournait son agile fuseau.

Elle aurait pu dompter les cœurs les plus sauvages ;
        Des lys, son teint a la blancheur,
        Et sa naturelle fraîcheur
S'était toujours sauvée à l'ombre des bocages :
Sa bouche, de l'enfance avait tout l'agrément,
Et ses yeux qu'adoucit une brune paupière,
        Plus bleus que n'est le firmament,
        Avaient aussi plus de lumière.

Le Prince, avec transport, dans le bois se glissant,
Contemple les beautés dont son âme est émue,
            Mais le bruit qu'il fait en passant
De la Belle sur lui fit détourner la vue ;
            Dès qu'elle se vit aperçue,
D'un brillant incarnat la prompte et vive ardeur
De son beau teint redoubla la splendeur,
            Et sur son visage épandue,
            Y fit triompher la pudeur.

Sous le voile innocent de cette honte aimable,
Le Prince découvrit une simplicité,
            Une douceur, une sincérité,
            Dont il croyait le beau sexe incapable,
            Et qu'il voit là dans toute leur beauté.

Saisi d'une frayeur pour lui toute nouvelle,
Il s'approche interdit, et plus timide qu'elle,
            Lui dit d'une tremblante voix,
Que de tous ses Veneurs il a perdu la trace,
            Et lui demande si la chasse
            N'a point passé quelque part dans le bois.

« Rien n'a paru, Seigneur, dans cette solitude,
Dit-elle, et nul ici que vous seul n'est venu ;
            Mais n'ayez point d'inquiétude,
Je remettrai vos pas sur un chemin connu.

            – De mon heureuse destinée
Je ne puis, lui dit-il, trop rendre grâce aux Dieux ;
            Depuis longtemps je fréquente ces lieux,
Mais j'avais ignoré jusqu'à cette journée
            Ce qu'ils ont de plus précieux. »

Dans ce temps elle voit que le Prince se baisse
    Sur le moite bord du ruisseau,
  Pour étancher dans le cours de son eau
    La soif ardente qui le presse.
    « Seigneur, attendez un moment »,
    Dit-elle, et courant promptement
Vers sa cabane, elle y prend une tasse
    Qu'avec joie et de bonne grâce,
Elle présente à ce nouvel Amant.

Les vases précieux de cristal et d'agate
    Où l'or en mille endroits éclate,
Et qu'un Art curieux avec soin façonna,
N'eurent jamais pour lui, dans leur pompe inu-
            [tile,
    Tant de beauté que le vase d'argile
    Que la Bergère lui donna.

Cependant pour trouver une route facile
    Qui mène le Prince à la Ville,
Ils traversent des bois, des rochers escarpés
    Et de torrents entrecoupés ;
Le Prince n'entre point dans de route nouvelle
Sans en bien observer tous les lieux d'alentour,
    Et son ingénieux Amour
      Qui songeait au retour,
    En fit une carte fidèle.

    Dans un bocage sombre et frais
    Enfin la Bergère le mène,
Où de dessous ses branchages épais
Il voit au loin dans le sein de la plaine
Les toits dorés de son riche Palais.

S'étant séparé de la Belle,
Touché d'une vive douleur,
À pas lents il s'éloigne d'Elle,
Chargé du trait qui lui perce le cœur ;
Le souvenir de sa tendre aventure
Avec plaisir le conduisit chez lui.
Mais dès le lendemain il sentit sa blessure,
Et se vit accablé de tristesse et d'ennui,

Dès qu'il le peut il retourne à la chasse,
Où de sa suite adroitement
Il s'échappe et se débarrasse
Pour s'égarer heureusement.
Des arbres et des monts les cimes élevées,
Qu'avec grand soin il avait observées,
Et les avis secrets de son fidèle amour,
Le guidèrent si bien que malgré les traverses
De cent routes diverses,
De sa jeune Bergère il trouva le séjour.

Il sut qu'elle n'a plus que son Père avec elle,
Que Griselidis on l'appelle,
Qu'ils vivent doucement du lait de leurs brebis,
Et que de leur toison qu'elle seule elle file,
Sans avoir recours à la ville,
Ils font eux-mêmes leurs habits.

Plus il la voit, plus il s'enflamme
Des vives beautés de son âme
Il connaît en voyant tant de dons précieux,
Que si la Bergère est si belle,
C'est qu'une légère étincelle
De l'esprit qui l'anime a passé dans ses yeux.

Il ressent une joie extrême
D'avoir si bien placé ses premières amours ;
Ainsi sans plus tarder, il fit dès le jour même
Assembler son Conseil et lui tint ce discours :

« Enfin aux Lois de l'Hyménée
Suivant vos vœux je me vais engager ;
Je ne prends point ma femme en Pays étranger,
Je la prends parmi vous, belle sage, bien née,
Ainsi que mes aïeux ont fait plus d'une fois.

Mais j'attendrai cette grande journée
À vous informer de mon choix. »
Dès que la nouvelle fut sue,
Partout elle fut répandue.
On ne peut dire avec combien d'ardeur
L'allégresse publique
De tous côtés s'explique ;
Le plus content fut l'Orateur,
Qui par son discours pathétique
Croyait d'un si grand bien être l'unique Auteur.
Qu'il se trouvait homme de conséquence !
« Rien ne peut résister à la grande éloquence »,
Disait-il sans cesse en son cœur.

Le plaisir fut de voir le travail inutile
Des Belles de toute la Ville
Pour s'attirer et mériter le choix
Du Prince leur Seigneur, qu'un air chaste et
[modeste
Charmait uniquement et plus que tout le reste,
Ainsi qu'il l'avait dit cent fois.

D'habit et de maintien toutes elles changèrent,
D'un ton dévot elles toussèrent,

Elles radoucirent leurs voix,
De demi-pied les coiffures baissèrent,
La gorge se couvrit, les manches s'allongèrent,
À peine on leur voyait le petit bout des doigts.


Dans la Ville avec diligence,
Pour l'Hymen dont le jour s'avance,
On voit travailler tous les Arts :
Ici se font de magnifiques chars
D'une forme toute nouvelle,
Si beaux et si bien inventés,
Que l'or qui partout étincelle
En fait la moindre des beautés.
Là pour voir aisément et sans aucun obstacle
Toute la pompe du spectacle,
On dresse de longs échafauds,
Ici de grands Arcs triomphaux
Où du Prince guerrier se célèbre la gloire,
Et de l'Amour sur lui l'éclatante victoire.


Là, sont forgés d'un art industrieux,
Ces feux qui par les coups d'un innocent ton-
[nerre,
En effrayant la Terre,
De mille astres nouveaux embellissent les Cieux.
Là d'un ballet ingénieux
Se concerte avec soin l'agréable folie,
Et là d'un Opéra peuplé de mille Dieux,
Le plus beau que jamais ait produit l'Italie,
On entend répéter les airs mélodieux.


Enfin, du fameux Hyménée,
Arriva la grande journée.

Sur le fond d'un Ciel vif et pur,
    À peine l'Aurore vermeille
Confondait l'or avec l'azur,
Que partout en sursaut le beau sexe s'éveille ;
Le Peuple curieux s'épand de tous côtés,
En différents endroits des Gardes sont postés
      Pour contenir la Populace,
    Et la contraindre à faire place.
  Tout le palais retentit de clairons,
De flûtes, de hautbois, de rustiques musettes,
    Et l'on n'entend aux environs
    Que des tambours et des trompettes.

Enfin le Prince sort entouré de sa Cour,
    Il s'élève un long cri de joie,
Mais on est bien surpris quand au premier
                    [détour,
De la Forêt prochaine on voit qu'il prend la voie,
    Ainsi qu'il faisait chaque jour.
  « Voilà, dit-on, son penchant qui l'emporte,
Et de ses passions, en dépit de l'Amour,
    La Chasse est toujours la plus forte. »
    Il traverse rapidement
Les guérets de la plaine et gagnant la montagne,
Il entre dans le bois au grand étonnement
    De la Troupe qui l'accompagne.

Après avoir passé par différents détours,
Que son cœur amoureux se plaît à reconnaître,
  Il trouve enfin la cabane champêtre,
    Où logent ses tendres amours.

  Griselidis de l'Hymen informée,
    Par la voix de la Renommée,

En avait pris son bel habillement ;
Et pour en aller voir la pompe magnifique,
    De dessous sa case rustique
    Sortait en ce même moment.

    « Où courez-vous si prompte et si légère ?
    Lui dit le Prince en l'abordant
    Et tendrement la regardant ;
Cessez de vous hâter, trop aimable Bergère :
La noce où vous allez, et dont je suis l'Époux,
    Ne saurait se faire sans vous.

    Oui, je vous aime, et je vous ai choisie
    Entre mille jeunes beautés,
Pour passer avec vous le reste de ma vie,
Si toutefois mes vœux ne sont pas rejetés.
– Ah ! dit-elle, Seigneur, je n'ai garde de croire
Que je sois destinée à ce comble de gloire
    Vous cherchez à vous divertir.
    – Non, non, dit-il, je suis sincère,
    J'ai déjà pour moi votre Père,
(Le Prince avait eu soin de l'en faire avertir).
    Daignez, Bergère, y consentir,
    C'est là tout ce qui reste à faire.
Mais afin qu'entre nous une solide paix
    Éternellement se maintienne,
Il faudrait me jurer que vous n'aurez jamais
    D'autre volonté que la mienne.

– Je le jure, dit-elle, et je vous le promets ;
Si j'avais épousé le moindre du Village,
    J'obéirais, son joug me serait doux ;
    Hélas ! combien donc davantage,
    Si je viens à trouver en vous
    Et mon Seigneur et mon Époux. »

Ainsi le Prince se déclare,
Et pendant que la Cour applaudit à son choix,
Il porte la Bergère à souffrir qu'on la pare
Des ornements qu'on donne aux Épouses des
                                        [Rois.
Celles qu'à cet emploi leur devoir intéresse
Entrent dans la cabane, et là diligemment
Mettent tout leur savoir et toute leur adresse
À donner de la grâce à chaque ajustement.

        Dans cette Hutte où l'on se presse
        Les Dames admirent sans cesse
        Avec quel art la Pauvreté
        S'y cache sous la Propreté ;
        Et cette rustique Cabane,
Que couvre et rafraîchit un spacieux Platane,
        Leur semble un séjour enchanté.


Enfin, de ce Réduit sort pompeuse et brillante
            La Bergère charmante ;
        Ce ne sont qu'applaudissements
    Sur sa beauté, sur ses habillements ;
        Mais sous cette pompe étrangère
Déjà plus d'une fois le Prince a regretté
        Des ornements de la Bergère
        L'innocente simplicité.


        Sur un grand char d'or et d'ivoire,
La Bergère s'assied pleine de majesté ;
        Le Prince y monte avec fierté,
        Et ne trouve pas moins de gloire
À se voir comme Amant assis à son côté
Qu'à marcher en triomphe après une victoire ;
    La Cour les suit et tous gardent leur rang

Que leur donne leur charge ou l'éclat de leur
[sang.
La Ville dans les champs presque toute sortie
  Couvrait les plaines d'alentour,
  Et du choix du Prince avertie,
Avec impatience attendait son retour,
Il paraît, on le joint. Parmi l'épaisse foule
Du Peuple qui se fend le char à peine roule ;
Par les longs cris de joie à tout coup redoublés
  Les chevaux émus et troublés
  Se cabrent, trépignent, s'élancent,
  Et reculent plus qu'ils n'avancent.

  Dans le Temple on arrive enfin,
  Et là par la chaîne éternelle
  D'une promesse solennelle,
Les deux Époux unissent leur destin ;
  Ensuite au Palais ils se rendent,
  Où mille plaisirs les attendent,
Où la Danse, les Jeux, les Courses, les Tournois,
Répandent l'allégresse en différents endroits ;
  Sur le soir le blond Hyménée
De ses chastes douceurs couronna la journée.

  Le lendemain, les différents États
   De toute la Province
Accourent haranguer la Princesse et le Prince
  Par la voix de leurs Magistrats.

  De ses Dames environnée,
 Griselidis, sans paraître étonnée,
  En Princesse les entendit,
  En Princesse leur répondit.
Elle fit toute chose avec tant de prudence,

Qu'il sembla que le Ciel eût versé ses trésors
　　　　Avec encor plus d'abondance
　　　　Sur son âme que sur son corps.
　　　Par son esprit, par ses vives lumières,
Du grand monde aussitôt elle prit les manières,
　　　　Et même dès le premier jour
Des talents, de l'humeur des Dames de sa Cour,
　　　　Elle se fit si bien instruire,
　　　Que son bon sens jamais embarrassé
　　　　Eut moins de peine à les conduire
　　　　Que ses brebis du temps passé.


Avant la fin de l'an, des fruits de l'Hyménée
　　　Le Ciel bénit leur couche fortunée ;
Ce ne fut pas un Prince, on l'eût bien souhaité ;
Mais la jeune Princesse avait tant de beauté
Que l'on ne songea plus qu'à conserver sa vie ;
Le père qui lui trouve un air doux et charmant
　　　La venait voir de moment en moment,
　　　　Et la Mère encor plus ravie
　　　　La regardait incessamment.


　　　Elle voulut la nourrir elle-même :
« Ah ! dit-elle, comment m'exempter de l'emploi
　　　　Que ses cris demandent de moi
　　　　Sans une ingratitude extrême ?
　　　Par un motif de Nature ennemi
Pourrais-je bien vouloir de mon Enfant que
　　　　　　　　　　　　[j'aime
　　　　N'être la Mère qu'à demi ? »


Soit que le Prince eût l'âme un peu moins
　　　　　　　　　　　　[enflammée
　　　Qu'aux premiers jours de son ardeur,

Soit que de sa maligne humeur
La masse se fût rallumée,
Et de son épaisse fumée
Eût obscurci ses sens et corrompu son cœur,
Dans tout ce que fait la Princesse,
Il s'imagine voir peu de sincérité.
Sa trop grande vertu le blesse,
C'est un piège qu'on tend à sa crédulité ;
Son esprit inquiet et de trouble agité
Croit tous les soupçons qu'il écoute,
Et prend plaisir à révoquer en doute
L'excès de sa félicité.

Pour guérir les chagrins dont son âme est
[atteinte,
Il la suit, il l'observe, il aime à la troubler
Par les ennuis de la contrainte,
Par les alarmes de la crainte,
Par tout ce qui peut démêler
La vérité d'avec la feinte.
« C'est trop, dit-il, me laisser endormir ;
Si ses vertus sont véritables,
Les traitements les plus insupportables
Ne feront que les affermir. »

Dans son Palais il la tient resserrée,
Loin de tous les plaisirs qui naissent à la Cour,
Et dans sa chambre, où seule elle vit retirée,
À peine il laisse entrer le jour.
Persuadé que la Parure
Et le superbe Ajustement
Du sexe que pour plaire a formé la Nature
Est le plus doux enchantement,
Il lui demande avec rudesse

Les perles, les rubis, les bagues, les bijoux
   Qu'il lui donna pour marque de tendresse,
Lorsque de son Amant il devint son Époux.

     Elle dont la vie est sans tache,
     Et qui n'a jamais eu d'attache
     Qu'à s'acquitter de son devoir,
     Les lui donne sans s'émouvoir,
Et même, le voyant se plaire à les reprendre,
     N'a pas moins de joie à les rendre
     Qu'elle en eut à les recevoir.

   « Pour m'éprouver mon Époux me tourmente,
Dit-elle, et je vois bien qu'il ne me fait souffrir
Qu'afin de réveiller ma vertu languissante,
Qu'un doux et long repos pourrait faire périr.
S'il n'a pas ce dessein, du moins suis-je assurée
Que telle est du Seigneur la conduite sur moi
Et que de tant de maux l'ennuyeuse durée
N'est que pour exercer ma constance et ma foi.

     Pendant que tant de malheureuses
     Errent au gré de leurs désirs
     Par mille routes dangereuses,
     Après de faux et vains plaisirs ;
Pendant que le Seigneur dans sa lente justice
     Les laisse aller aux bords du précipice
     Sans prendre part à leur danger,
Par un pur mouvement de sa bonté suprême,
     Il me choisit comme un enfant qu'il aime,
     Et s'applique à me corriger.

Aimons donc sa rigueur utilement cruelle,
   On n'est heureux qu'autant qu'on a souffert,

Aimons sa bonté paternelle
Et la main dont elle se sert. »

Le Prince a beau la voir obéir sans contrainte
    À tous ses ordres absolus :
« Je vois le fondement de cette vertu feinte,
Dit-il, et ce qui rend tous mes coups superflus,
    C'est qu'ils n'ont porté leur atteinte
    Qu'à des endroits où son amour n'est plus.

    Dans son Enfant, dans la jeune Princesse,
        Elle a mis toute sa tendresse ;
    À l'éprouver si je veux réussir,
        C'est là qu'il faut que je m'adresse,
        C'est là que je puis m'éclaircir. »

    Elle venait de donner la mamelle
    Au tendre objet de son amour ardent,
Qui couché sur son sein se jouait avec elle,
    Et riait en la regardant :
« Je vois que vous l'aimez, lui dit-il, cependant
Il faut que je vous l'ôte en cet âge encor tendre,
Pour lui former les mœurs et pour la préserver
De certains mauvais airs qu'avec vous l'on peut
                            [prendre ;
    Mon heureux sort m'a fait trouver
Une Dame d'esprit qui saura l'élever
Dans toutes les vertus et dans la politesse
        Que doit avoir une Princesse.
        Disposez-vous à la quitter,
        On va venir pour l'emporter. »

Il la laisse à ces mots, n'ayant pas le courage,
    Ni les yeux assez inhumains,

Pour voir arracher de ses mains
De leur amour l'unique gage ;
Elle de mille pleurs se baigne le visage,
Et dans un morne accablement
Attend de son malheur le funeste moment.

Dès que d'une action si triste et si cruelle
Le ministre odieux à ses yeux se montra,
« Il faut obéir », lui dit-elle ;
Puis prenant son Enfant qu'elle considéra,
Qu'elle baisa d'une ardeur maternelle,
Qui de ses petits bras tendrement la serra,
Toute en pleurs elle le livra.
Ah ! que sa douleur fut amère !
Arracher l'enfant ou le cœur
Du sein d'une si tendre Mère,
C'est la même douleur.

Près de la Ville était un Monastère,
Fameux par son antiquité,
Où des Vierges vivaient dans une règle austère,
Sous les yeux d'une Abbesse illustre en piété.
Ce fut là que dans le silence,
Et sans déclarer sa naissance,
On déposa l'Enfant, et des bagues de prix,
Sous l'espoir d'une récompense
Digne des soins que l'on en aurait pris.

Le Prince qui tâchait d'éloigner par la chasse
Le vif remords qui l'embarrasse
Sur l'excès de sa cruauté,
Craignait de revoir la Princesse,
Comme on craint de revoir une fière Tigresse
À qui son faon vient d'être ôté ;

Cependant il en fut traité
Avec douceur, avec caresse,
Et même avec cette tendresse
Qu'elle eut aux plus beaux jours de sa prospé-
[rité.

Par cette complaisance et si grande et si prompte,
   Il fut touché de regret et de honte ;
   Mais son chagrin demeura le plus fort :
Ainsi, deux jours après, avec des larmes feintes,
Pour lui porter encor de plus vives atteintes,
   Il lui vint dire que la Mort
De leur aimable Enfant avait fini le sort.

Ce coup inopiné mortellement la blesse,
   Cependant malgré sa tristesse,
Ayant vu son Époux qui changeait de couleur,
   Elle parut oublier son malheur,
   Et n'avoir même de tendresse
Que pour le consoler de sa fausse douleur.

   Cette bonté, cette ardeur sans égale
      D'amitié conjugale,
Du Prince tout à coup désarmant la rigueur,
Le touche, le pénètre et lui change le cœur,
      Jusques-là qu'il lui prend envie
      De déclarer que leur Enfant
      Jouit encore de la vie ;
Mais sa bile s'élève et fière lui défend
      De rien découvrir du mystère
      Qu'il peut être utile de taire.

Dès ce bienheureux jour telle des deux Époux
   Fut la mutuelle tendresse,

elle n'est point plus vive aux moments les
                                    [plus doux
    Entre l'Amant et la Maîtresse.


Quinze fois le Soleil, pour former les saisons,
Habita tour à tour dans ses douze maisons,
    Sans rien voir qui les désunisse ;
    Que si quelquefois par caprice
    Il prend plaisir à la fâcher,
    C'est seulement pour empêcher
    Que l'amour ne se ralentisse,
Tel que le Forgeron qui pressant son labeur,
    Répand un peu d'eau sur la braise
    De sa languissante fournaise
    Pour en redoubler la chaleur.


    Cependant la jeune Princesse
    Croissait en esprit, en sagesse ;
   À la douceur, à la naïveté
Qu'elle tenait de son aimable Mère,
Elle joignit de son illustre Père
    L'agréable et noble fierté ;
L'amas de ce qui plaît dans chaque caractère
    Fit une parfaite beauté.


    Partout comme un Astre elle brille ;
Et par hasard un Seigneur de la Cour,
Jeune, bien fait et plus beau que le jour,
    L'ayant vu paraître à la grille,
Conçut pour elle un violent amour.
Par l'instinct qu'au beau sexe a donné la Nature,
    Et que toutes les beautés ont
    De voir l'invisible blessure

Que font leurs yeux, au moment qu'ils la font,
    La Princesse fut informée
    Qu'elle était tendrement aimée.


Après avoir quelque temps résisté
Comme on le doit avant que de se rendre,
    D'un amour également tendre
    Elle l'aima de son côté.


Dans cet Amant, rien n'était à reprendre,
Il était beau, vaillant, né d'illustres aïeux
    Et dès longtemps pour en faire son Gendre
    Sur lui le Prince avait jeté les yeux.
Ainsi donc avec joie il apprit la nouvelle
    De l'ardeur tendre et mutuelle
    Dont brûlaient ces jeunes Amants ;
    Mais il lui prit une bizarre envie
De leur faire acheter par de cruels tourments
    Le plus grand bonheur de leur vie.


« Je me plairai, dit-il, à les rendre contents ;
    Mais il faut que l'Inquiétude,
    Par tout ce qu'elle a de plus rude,
    Rende encor leurs feux plus constants ;
    De mon Épouse en même temps
    J'exercerai la patience,
    Non point, comme jusqu'à ce jour,
    Pour assurer ma folle défiance,
    Je ne dois plus douter de son amour ;
Mais pour faire éclater aux yeux de tout le Monde
Sa Bonté, sa Douceur, sa Sagesse profonde,
Afin que de ces dons si grands, si précieux
    La Terre se voyant parée,

En soit de respect pénétrée,
Et par reconnaissance en rende grâce aux Cieux. »

Il déclare en public que manquant de lignée,
En qui l'État un jour retrouve son Seigneur,
Que la fille qu'il eut de son fol hyménée
        Étant morte aussitôt que née,
    Il doit ailleurs chercher plus de bonheur ;
Que l'Épouse qu'il prend est d'illustre naissance,
        Qu'en un Couvent on l'a jusqu'à ce jour
            Fait élever dans l'innocence,
Et qu'il va par l'hymen couronner son amour.


    On peut juger à quel point fut cruelle
Aux deux jeunes Amants cette affreuse nouvelle ;
Ensuite, sans marquer ni chagrin, ni douleur,
        Il avertit son Épouse fidèle
            Qu'il faut qu'il se sépare d'elle
    Pour éviter un extrême malheur ;
Que le Peuple indigné de sa basse naissance
Le force à prendre ailleurs une digne alliance.


        « Il faut, dit-il, vous retirer
    Sous votre toit de chaume et de fougère
    Après avoir repris vos habits de Bergère
            Que je vous ai fait préparer. »


Avec une tranquille et muette constance,
La Princesse entendit prononcer sa sentence ;
        Sous les dehors d'un visage serein
            Elle dévorait son chagrin,
Et sans que la douleur diminuât ses charmes,
    De ses beaux yeux tombaient de grosses
                                            [larmes,

Ainsi que quelquefois au retour du Printemps,
    Il fait Soleil et pleut en même temps.

« Vous êtes mon Époux, mon Seigneur, et mon
                                     [Maître,
(Dit-elle en soupirant, prête à s'évanouir),
Et quelque affreux que soit ce que je viens d'ouïr,
    Je saurai vous faire connaître
Que rien ne m'est si cher que de vous obéir. »

Dans sa chambre aussitôt seule elle se retire,
Et là se dépouillant de ses riches habits,
    Elle reprend paisible et sans rien dire,
      Pendant que son cœur en soupire,
    Ceux qu'elle avait en gardant ses brebis.
      En cet humble et simple équipage,
Elle aborde le Prince et lui tient ce langage :

      « Je ne puis m'éloigner de vous
    Sans le pardon d'avoir su vous déplaire ;
    Je puis souffrir le poids de ma misère,
Mais je ne puis, Seigneur, souffrir votre cour-
                                 [roux ;
Accordez cette grâce à mon regret sincère,
Et je vivrai contente en mon triste séjour,
    Sans que jamais le Temps altère
Ni mon humble respect, ni mon fidèle amour. »

Tant de soumission et tant de grandeur d'âme
    Sous un si vil habillement,
Qui dans le cœur du Prince en ce même
moment
Réveilla tous les traits de sa première flamme,
Allaient casser l'arrêt de son bannissement.
    Ému par de si puissants charmes,

Et prêt à répandre des larmes,
Il commençait à s'avancer
Pour l'embrasser,
Quant tout à coup l'impérieuse gloire
D'être ferme en son sentiment
Sur son amour remporta la victoire,
Et le fit en ces mots répondre durement :

« De tout le temps passé j'ai perdu la mémoire,
Je suis content de votre repentir,
Allez, il est temps de partir. »

Elle part aussitôt, et regardant son Père
Qu'on avait revêtu de son rustique habit,
Et qui, le cœur percé d'une douleur amère,
Pleurait un changement si prompt et si subit :
Retournons, lui dit-elle, en nos sombres bocages,
Retournons habiter nos demeures sauvages,
Et quittons sans regret la pompe des Palais ;
Nos cabanes n'ont pas tant de magnificence,
Mais on y trouve avec plus d'innocence,
Un plus ferme repos, une plus douce paix.

Dans son désert à grand-peine arrivée,
Elle reprend et quenouille et fuseaux,
Et va filer au bord des mêmes eaux
Où le Prince l'avait trouvée.
Là son cœur tranquille et sans fiel
Cent fois le jour demande au Ciel
Qu'il comble son Époux de gloire, de richesses,
Et qu'à tous ses désirs il ne refuse rien ;
Un amour nourri de caresses
N'est pas plus ardent que le sien.

Ce cher Époux qu'elle regrette
Voulant encore l'éprouver,
Lui fait dire dans sa retraite
Qu'elle ait à venir le trouver.

« Griselidis, dit-il, dès qu'elle se présente,
Il faut que la Princesse à qui je dois demain
    Dans le Temple donner la main,
    De vous et de moi soit contente.
Je vous demande ici tous vos soins, et je veux
Que vous m'aidiez à plaire à l'objet de mes
                              [vœux ;
Vous savez de quel air il faut que l'on me serve,
    Point d'épargne, point de réserve ;
Que tout sente le Prince, et le Prince amoureux.

    Employez toute votre adresse
    À parer son appartement,
    Que l'abondance, la richesse,
    La propreté, la politesse
    S'y fasse voir également ;
    Enfin songez incessamment
    Que c'est une jeune Princesse
        Que j'aime tendrement.

    Pour vous faire entrer davantage
    Dans les soins de votre devoir,
    Je veux ici vous faire voir
Celle qu'à bien servir mon ordre vous engage. »

    Telle qu'aux Portes du Levant
    Se montre la naissante Aurore,
    Telle parut en arrivant
    La Princesse plus belle encore.

Griselidis à son abord
Dans le fond de son cœur sentit un doux trans-
[port
De la tendresse maternelle ;
Du temps passé, de ses jours bienheureux,
Le souvenir en son cœur se rappelle
« Hélas ! ma fille, en soi-même dit-elle,
Si le Ciel favorable eût écouté mes vœux,
Serait presque aussi grande, et peut-être aussi
[belle. »


Pour la jeune Princesse en ce même moment
Elle prit un amour si vif, si véhément,
Qu'aussitôt qu'elle fut absente,
En cette sorte au Prince elle parla,
Suivant, sans le savoir, l'instinct qui s'en mêla :


« Souffrez, Seigneur, que je vous représente
Que cette Princesse charmante,
Dont vous allez être l'Époux,
Dans l'aise, dans l'éclat, dans la pourpre nourrie,
Ne pourra supporter, sans en perdre la vie,
Les mêmes traitements que j'ai reçus de vous.
Le besoin, ma naissance obscure,
M'avaient endurcie aux travaux.
Et je pouvais souffrir toutes sortes de maux
Sans peine et même sans murmure ;
Mais elle qui jamais n'a connu la douleur,
Elle mourra dès la moindre rigueur,
Dès la moindre parole un peu sèche, un peu dure.
Hélas ! Seigneur, je vous conjure
De la traiter avec douceur.

– Songez, lui dit le Prince avec un ton sévère,
  À me servir selon votre pouvoir,
Il ne faut pas qu'une simple Bergère
  Fasse des leçons, et s'ingère
  De m'avertir de mon devoir. »
Griselidis, à ces mots, sans rien dire,
  Baisse les yeux et se retire.

Cependant pour l'Hymen les Seigneurs invités,
  Arrivèrent de tous côtés ;
  Dans une magnifique salle
  Où le Prince les assembla
Avant que d'allumer la torche nuptiale,
  En cette sorte il leur parla :

  « Rien au monde, après l'Espérance,
    N'est plus trompeur que l'Apparence ;
Ici l'on en peut voir un exemple éclatant.
    Qui ne croirait que ma jeune Maîtresse,
    Que l'Hymen va rendre Princesse,
  Ne soit heureuse et n'ait le cœur content ?
    Il n'en est rien pourtant.

    Qui pourrait s'empêcher de croire
  Que ce jeune Guerrier amoureux de la gloire
N'aime à voir cet Hymen, lui qui dans les Tour-
                                          [nois
Va sur tous ses Rivaux remporter la victoire ?
    Cela n'est pas vrai toutefois.

Qui ne croirait encor qu'en sa juste colère,
Griselidis ne pleure et ne se désespère
Elle ne se plaint point, elle consent à tout,
Et rien n'a pu pousser sa patience à bout.

Qui ne croirait enfin que de ma destinée,
Rien ne peut égaler la course fortunée,
En voyant les appâts de l'objet de mes vœux ?
Cependant si l'Hymen me liait de ses nœuds,
    J'en concevrais une douleur profonde,
        Et de tous les Princes du Monde
        Je serais le plus malheureux.


L'Énigme vous paraît difficile à comprendre ;
        Deux mots vont vous la faire entendre,
    Et ces deux mots feront évanouir
    Tous les malheurs que vous venez d'ouïr.


Sachez, poursuivit-il, que l'aimable Personne
    Que vous croyez m'avoir blessé le cœur,
        Est ma Fille, et que je la donne
        Pour Femme à ce jeune Seigneur
        Qui l'aime d'un amour extrême,
        Et dont il est aimé de même.


Sachez encor, que touché vivement
        De la patience et du zèle
        De l'Épouse sage et fidèle
        Que j'ai chassée indignement,
Je la reprends, afin que je répare,
Par tout ce que l'amour peut avoir de plus doux,
        Le traitement dur et barbare
Qu'elle a reçu de mon esprit jaloux.


        Plus grande sera mon étude
        À prévenir tous ses désirs,
        Qu'elle ne fut dans mon inquiétude
        À l'accabler de déplaisirs ;
Et si dans tous les temps doit vivre la mémoire

Des ennuis dont son cœur ne fut point abattu,
Je veux que plus encore on parle de la gloire
Dont j'aurai couronné sa suprême vertu. »

      Comme quand un épais nuage
        A le jour obscurci,
    Et que le Ciel de toutes parts noirci,
       Menace d'un affreux orage ;
Si de ce voile obscur par les vents écarté
       Un brillant rayon de clarté
       Se répand sur le paysage,
       Tout rit et reprend sa beauté ;
Telle, dans tous les yeux où régnait la tristesse,
Éclate tout à coup une vive allégresse.

      Par ce prompt éclaircissement,
      La jeune Princesse ravie
D'apprendre que du Prince elle a reçu la vie
Se jette à ses genoux qu'elle embrasse ardem-
                       [ment.
Son père qu'attendrit une fille si chère,
La relève, la baise, et la mène à sa mère,
À qui trop de plaisir en un même moment
      Ôtait presque tout sentiment.
      Son cœur, qui tant de fois en proie
      Aux plus cuisants traits du malheur,
      Supporta si bien la douleur,
      Succombe au doux poids de la joie ;
À peine de ses bras pouvait-elle serrer
    L'aimable Enfant que le ciel lui renvoie,
      Elle ne pouvait que pleurer.

« Assez dans d'autres temps vous pourrez satis-
                     [faire,

Lui dit le Prince, aux tendresses du sang ;
Reprenez les habits qu'exige votre rang,
    Nous avons des noces à faire. »


Au Temple on conduisit les deux jeunes Amants,
    Où la mutuelle promesse
    De se chérir avec tendresse
Affermit pour jamais leurs doux engagements.
Ce ne sont que Plaisirs, que Tournois magni-
                         [fiques,
    Que jeux, que Danses, que Musiques,
    Et que Festins délicieux,
Où sur Griselidis se tournent tous les yeux,
    Où sa patience éprouvée
    Jusques au Ciel est élevée
    Par mille éloges glorieux :
Des Peuples réjouis la complaisance est telle
    Pour leur Prince capricieux,
Qu'ils vont jusqu'à louer son épreuve cruelle,
    À qui d'une vertu si belle,
Si séante au beau sexe, et si rare en tous lieux,
    On doit un si parfait modèle.

Si je m'étais rendu à tous les différents avis qui m'ont été donnés sur l'Ouvrage que je vous envoie, il n'y serait rien demeuré que le Conte tout sec et tout uni, et en ce cas j'aurais mieux fait de n'y pas toucher et de le laisser dans son papier bleu où il est depuis tant d'années. Je le lus d'abord à deux de mes Amis. « Pourquoi, dit l'un, s'étendre si fort sur le caractère de votre Héros ? Qu'a-t-on à faire de savoir ce qu'il faisait le matin dans son Conseil, et moins encore à quoi il se divertissait l'après-dînée ? Tout cela est bon à retrancher. – Ôtez-moi je vous prie, dit l'autre, la réponse enjouée qu'il fait aux Députés de son Peuple qui le pressent de se marier ; elle ne convient point à un Prince grave et sérieux. Vous voulez bien encore, poursuivit-il, que je vous conseille de supprimer la longue description de votre chasse ? Qu'importe tout cela au fond de votre histoire ? Croyez-moi, ce sont de vains et ambitieux ornements, qui appauvrissent votre Poème au lieu de l'enrichir. Il en est de même, ajouta-t-il, des préparatifs qu'on fait pour le mariage du Prince, tout cela est oiseux et inutile. Pour vos Dames qui rabaissent leurs coiffures, qui couvrent leurs gorges, et qui allongent leurs manches, froide plaisanterie aussi

85

bien que celle de l'Orateur qui s'applaudit de
son éloquence. – Je demande encore, reprit
celui qui avait parlé le premier, que vous ôtiez
les réflexions Chrétiennes de Griselidis, qui dit
que c'est Dieu qui veut l'éprouver ; c'est un
sermon hors de sa place. Je ne saurais encore
souffrir les inhumanités de votre Prince, elles
me mettent en colère, je les supprimerais. Il est
vrai qu'elles sont de l'Histoire, mais il n'importe. J'ôterais encore l'Épisode du jeune Seigneur qui n'est là que pour épouser la jeune
Princesse, cela allonge trop votre conte. – Mais,
lui dis-je, le conte finirait mal sans cela. – Je ne
saurais que vous dire, répondit-il, je ne laisse-
rais pas que de l'ôter. » À quelques jours de là,
je fis la même lecture à deux autres de mes
Amis, qui ne me dirent pas un seul mot sur les
endroits dont je viens de parler, mais qui en
reprirent quantité d'autres. « Bien loin de me
plaindre de la rigueur de votre critique, leur dis-
je, je me plains de ce qu'elle n'est pas assez
sévère : vous m'avez passé une infinité d'endroits que l'on trouve très dignes de censure.
– Comme quoi ? dirent-ils. – On trouve, leur dis-
je, que le caractère du Prince est trop étendu, et
qu'on n'a que faire de savoir ce qu'il faisait le
matin et encore moins l'après-dînée. – On se
moque de vous, dirent-ils tous deux ensemble,
quand on vous fait de semblables critiques. – On
blâme, poursuivis-je, la réponse que fait le
Prince à ceux qui le pressent de se marier,
comme trop enjouée et indigne d'un Prince
grave et sérieux. – Bon, reprit l'un d'eux ; et où
est l'inconvénient qu'un jeune Prince d'Italie,

pays où l'on est accoutumé à voir les hommes les plus graves et les plus élevés en dignité dire des plaisanteries, et qui d'ailleurs fait profession de mal parler et des femmes et du mariage, matières si sujettes à la raillerie, se soit un peu réjoui sur cet article ? Quoi qu'il en soit, je vous demande grâce pour cet endroit comme pour celui de l'Orateur qui croyait avoir converti le Prince, et pour le rabaissement des coiffures ; car ceux qui n'ont pas aimé la réponse enjouée du Prince, ont bien la mine d'avoir fait main basse sur ces deux endroits-là. – Vous l'avez deviné, lui dis-je. Mais d'un autre côté, ceux qui n'aiment que les choses plaisantes n'ont pu souffrir les réflexions Chrétiennes de la Princesse, qui dit que c'est Dieu qui la veut éprouver. Ils prétendent que c'est un sermon hors de propos. – Hors de propos ? reprit l'autre ; non seulement ces réflexions conviennent au sujet, mais elles y sont absolument nécessaires. Vous aviez besoin de rendre croyable la Patience de votre Héroïne ; et quel autre moyen aviez-vous que de lui faire regarder les mauvais traitements de son Époux comme venant de la main de Dieu ? Sans cela, on la prendrait pour la plus stupide de toutes les femmes, ce qui ne ferait pas assurément un bon effet. – On blâme encore, leur dis-je, l'Épisode du jeune Seigneur qui épouse la jeune Princesse. – On a tort, reprit-il ; comme votre Ouvrage est un véritable Poème, quoique vous lui donniez le titre de Nouvelle, il faut qu'il n'y ait rien à désirer quand il finit. Cependant si la jeune Princesse s'en retournait dans son Couvent sans être mariée après s'y être attendue, elle ne serait point contente ni ceux qui liraient la Nouvelle. » Ensuite de cette conférence, j'ai pris le parti de laisser mon Ouvrage tel à peu près qu'il a été lu dans l'Académie. En un mot, j'ai eu soin de corriger les choses qu'on m'a fait voir être mauvaises en elles-mêmes ; mais à l'égard de celles que j'ai trouvées n'avoir point d'autre défaut que de n'être pas au goût de quelques personnes peut-être un peu trop délicates j'ai cru n'y devoir pas toucher.

*Est-ce une raison décisive*
*D'ôter un bon mets d'un repas,*
*Parce qu'il s'y trouve un Convive*
*Qui par malheur ne l'aime pas ?*
*Il faut que tout le monde vive,*
*Et que les mets, pour plaire à tous,*
*Soient différents comme les goûts.*

Quoi qu'il en soit, j'ai cru devoir m'en remettre au Public qui juge toujours bien. J'apprendrai de lui ce que j'en dois croire, et je suivrai exactement tous ses avis, s'il m'arrive jamais de faire une seconde édition de cet Ouvrage.

# PEAU D'ÂNE

*Conte*

À Madame la Marquise de L\*\*\*

Il est des gens de qui l'esprit guindé,
    Sous un front jamais déridé,
    Ne souffre, n'approuve et n'estime
    Que le pompeux et le sublime ;
    Pour moi, j'ose poser en fait
Qu'en de certains moments l'esprit le plus par-
                         [fait
Peut aimer sans rougir jusqu'aux Marionnettes ;
    Et qu'il est des temps et des lieux
    Où le grave et le sérieux
Ne valent pas d'agréables sornettes.
    Pourquoi faut-il s'émerveiller
    Que la Raison la mieux sensée,
    Lasse souvent de trop veiller,
    Par des contes d'Ogre et de Fée
    Ingénieusement bercée,
    Prenne plaisir à sommeiller ?

    Sans craindre donc qu'on me condamne
    De mal employer mon loisir,
Je vais, pour contenter votre juste désir,

Vous conter tout au long l'histoire de Peau
[d'Âne.

Il était une fois un Roi,
Le plus grand qui fût sur la Terre,
Aimable en Paix, terrible en Guerre,
Seul enfin comparable à soi :
Ses voisins le craignaient, ses États étaient calmes,
Et l'on voyait de toutes parts
Fleurir, à l'ombre de ses palmes,
Et les Vertus et les beaux Arts.
Son aimable Moitié, sa Compagne fidèle,
Était si charmante et si belle,
Avait l'esprit si commode et si doux
Qu'il était encor avec elle
Moins heureux Roi qu'heureux époux.
De leur tendre et chaste Hyménée
Plein de douceur et d'agrément,
Avec tant de vertus une fille était née
Qu'ils se consolaient aisément
De n'avoir pas de plus ample lignée.

Dans son vaste et riche Palais
Ce n'était que magnificence ;
Partout y fourmillait une vive abondance
De Courtisans et de Valets ;
Il avait dans son Écurie
Grands et petits chevaux de toutes les façons ;
Couverts de beaux caparaçons
Roides d'or et de broderie ;
Mais ce qui surprenait tout le monde en entrant,
C'est qu'au lieu le plus apparent,
Un maître Âne étalait ses deux grandes oreilles.
Cette injustice vous surprend,
Mais lorsque vous saurez ses vertus non pareilles,

Vous ne trouverez pas que l'honneur fût trop
[grand.
 Tel et si net le forma la Nature
  Qu'il ne faisait jamais d'ordure,
  Mais bien beaux Écus au soleil
  Et Louis de toute manière,
Qu'on allait recueillir sur la blonde litière
  Tous les matins à son réveil.


  Or le Ciel qui parfois se lasse
  De rendre les hommes contents,
Qui toujours à ses biens mêle quelque disgrâce,
  Ainsi que la pluie au beau temps,
  Permit qu'une âpre maladie
Tout à coup de la Reine attaquât les beaux jours.
  Partout on cherche du secours ;
Mais ni la Faculté qui le Grec étudie,
  Ni les Charlatans ayant cours,
Ne purent tous ensemble arrêter l'incendie
Que la fièvre allumait en s'augmentant toujours.


  Arrivée à sa dernière heure
  Elle dit au Roi son Époux :
  « Trouvez bon qu'avant que je meure
  J'exige une chose de vous ;
  C'est que s'il vous prenait envie
De vous remarier quand je n'y serai plus...
  – Ah ! dit le Roi, ces soins sont superflus,
  Je n'y songerai de ma vie,
  Soyez en repos là-dessus.
  – Je le crois bien, reprit la Reine,
Si j'en prends à témoin votre amour véhément ;
  Mais pour m'en rendre plus certaine,
  Je veux avoir votre serment,

Adouci toutefois par ce tempérament
Que si vous rencontrez une femme plus belle,
  Mieux faite et plus sage que moi,
Vous pourrez franchement lui donner votre foi
  Et vous marier avec elle. »
  Sa confiance en ses attraits
Lui faisait regarder une telle promesse
 Comme un serment, surpris avec adresse,
  De ne se marier jamais.
Le Prince jura donc, les yeux baignés de larmes,
  Tout ce que la Reine voulut ;
  La Reine entre ses bras mourut,
Et jamais un Mari ne fit tant de vacarmes.
À l'ouïr sangloter et les nuits et les jours,
On jugea que son deuil ne lui durerait guère,
 Et qu'il pleurait ses défuntes Amours
Comme un homme pressé qui veut sortir
        [d'affaire.
On ne se trompa point. Au bout de quelques
        [mois
Il voulut procéder à faire un nouveau choix ;
  Mais ce n'était pas chose aisée,
  Il fallait garder son serment
  Et que la nouvelle Épousée
  Eût plus d'attraits et d'agrément
Que celle qu'on venait de mettre au monument.

  Ni la Cour en beautés fertile,
  Ni la Campagne, ni la Ville,
  Ni les Royaumes d'alentour
  Dont on alla faire le tour,
  N'en purent fournir une telle ;
  L'Infante seule était plus belle
Et possédait certains tendres appas

*Les grands de l'État s'assemblèrent, et vinrent en corps prier
le roi de se remarier. Cette proposition lui parut dure…*

Que la défunte n'avait pas.
Le Roi le remarqua lui-même
Et brûlant d'un amour extrême,
Alla follement s'aviser
Que par cette raison il devait l'épouser.
Il trouva même un Casuiste
Qui jugea que le cas se pouvait proposer.
Mais la jeune Princesse triste
D'ouïr parler d'un tel amour,
Se lamentait et pleurait nuit et jour.


De mille chagrins l'âme pleine,
Elle alla trouver sa Marraine,
Loin, dans une grotte à l'écart
De Nacre et de Corail richement étoffée.
C'était une admirable Fée
Qui n'eut jamais de pareille en son Art.
Il n'est pas besoin qu'on vous die
Ce qu'était une Fée en ces bienheureux temps ;
Car je suis sûr que votre Mie
Vous l'aura dit dès vos plus jeunes ans.


« Je sais, dit-elle, en voyant la Princesse,
Ce qui vous fait venir ici,
Je sais de votre cœur la profonde tristesse ;
Mais avec moi n'ayez plus de souci.
Il n'est rien qui vous puisse nuire
Pourvu qu'à mes conseils vous vous laissiez
                                        [conduire.
Votre Père, il est vrai, voudrait vous épouser ;
Écouter sa folle demande
Serait une faute bien grande,
Mais sans le contredire on le peut refuser.

*La jeune princesse, outrée d'une vive douleur, n'imagina rien
autre chose que d'aller trouver la fée des Lilas, sa marraine*

Dites-lui qu'il faut qu'il vous donne
Pour rendre vos désirs contents,
Avant qu'à son amour votre cœur s'abandonne,
Une Robe qui soit de la couleur du Temps,
Malgré tout son pouvoir et toute sa richesse,
Quoique le Ciel en tout favorise ses vœux,
Il ne pourra jamais accomplir sa promesse. »

Aussitôt la jeune Princesse
L'alla dire en tremblant à son Père amoureux
Qui dans le moment fit entendre
Aux Tailleurs les plus importants
Que s'ils ne lui faisaient, sans trop le faire
[attendre,
Une Robe qui fût de la couleur du Temps,
Ils pouvaient s'assurer qu'il les ferait tous pendre.

Le second jour ne luisait pas encor
Qu'on apporta la Robe désirée ;
Le plus beau bleu de l'Empyrée
N'est pas, lorsqu'il est ceint de gros nuages d'or,
D'une couleur plus azurée.
De joie et de douleur l'Infante pénétrée
Ne sait que dire ni comment
Se dérober à son engagement.
« Princesse, demandez-en une,
Lui dit sa Marraine tout bas,
Qui plus brillante et moins commune,
Soit de la couleur de la Lune.
Il ne vous la donnera pas. »
À peine la Princesse en eut fait la demande
Que le Roi dit à son Brodeur :
« Que l'astre de la Nuit n'ait pas plus de splen-
[deur

Et que dans quatre jours sans faute on me la
[rende. »

Le riche habillement fut fait au jour marqué,
    Tel que le Roi s'en était expliqué.
Dans les Cieux où la Nuit a déployé ses voiles,
La Lune est moins pompeuse en sa robe
d'argent
Lors même qu'au milieu de son cours diligent
Sa plus vive clarté fait pâlir les étoiles.
La Princesse admirant ce merveilleux habit,
Était à consentir presque délibérée ;
        Mais par sa Marraine inspirée,
        Au Prince amoureux elle dit :
        « Je ne saurais être contente
Que je n'aie une Robe encore plus brillante
        Et de la couleur du Soleil. »
Le Prince qui l'aimait d'un amour sans pareil,
Fit venir aussitôt un riche Lapidaire
        Et lui commanda de la faire
D'un superbe tissu d'or et de diamants,
Disant que s'il manquait à le bien satisfaire,
Il le ferait mourir au milieu des tourments.

Le Prince fut exempt de s'en donner la peine,
        Car l'ouvrier industrieux,
        Avant la fin de la semaine,
    Fit apporter l'ouvrage précieux,
        Si beau, si vif, si radieux,
        Que le blond Amant de Clymène
        Lorsque sur la voûte des Cieux
        Dans son char d'or il se promène,
D'un plus brillant éclat n'éblouit pas les yeux.

L'Infante que ces dons achèvent de confondre,
À son Père, à son Roi ne sait plus que répondre.
Sa Marraine aussitôt la prenant par la main :
    « Il ne faut pas, lui dit-elle à l'oreille,
        Demeurer en si beau chemin ;
        Est-ce une si grande merveille
    Que tous ces dons que vous en recevez,
    Tant qu'il aura l'Âne que vous savez,
    Qui d'écus d'or sans cesse emplit sa bourse ?
Demandez-lui la peau de ce rare Animal.
        Comme il est toute sa ressource,
Vous ne l'obtiendrez pas, ou je raisonne mal. »


        Cette Fée était bien savante,
    Et cependant elle ignorait encor
Que l'amour violent pourvu qu'on le contente,
        Compte pour rien l'argent et l'or ;
La peau fut galamment aussitôt accordée
        Que l'Infante l'eut demandée.


        Cette Peau quand on l'apporta
        Terriblement l'épouvanta
Et la fit de son sort amèrement se plaindre.
Sa Marraine survint et lui représenta
Que quand on fait le bien on ne doit jamais
                        [craindre :
        Qu'il faut laisser penser au Roi
        Qu'elle est tout à fait disposée
À subir avec lui la conjugale Loi,
Mais qu'au même moment, seule et bien dégui-
                        [sée,
Il faut qu'elle s'en aille en quelque État lointain
Pour éviter un mal si proche et si certain.

« Voici, poursuivit-elle, une grande cassette
    Où nous mettrons tous vos habits,
    Votre miroir, votre toilette,
    Vos diamants et vos rubis.
    Je vous donne encor ma Baguette ;
    En la tenant en votre main,
La cassette suivra votre même chemin
    Toujours sous la Terre cachée ;
    Et lorsque vous voudrez l'ouvrir,
À peine mon bâton la Terre aura touchée
Qu'aussitôt à vos yeux elle viendra s'offrir.

    Pour vous rendre méconnaissable,
La dépouille de l'Âne est un masque admirable.
    Cachez-vous bien dans cette peau,
On ne croira jamais, tant elle est effroyable,
    Qu'elle renferme rien de beau. »

    La Princesse ainsi travestie
De chez la sage Fée à peine fut sortie,
    Pendant la fraîcheur du matin,
    Que le Prince qui pour la Fête
    De son heureux Hymen s'apprête,
Apprend tout effrayé son funeste destin.
Il n'est point de maison, de chemin, d'avenue,
    Qu'on ne parcoure promptement ;
    Mais on s'agite vainement,
On ne peut deviner ce qu'elle est devenue.

Partout se répandit un triste et noir chagrin,
    Plus de Noces, plus de Festin,
    Plus de Tarte, plus de Dragées ;
Les Dames de la Cour, toutes découragées,
    N'en dînèrent point la plupart ;

Mais du Curé surtout la tristesse fut grande,
    Car il en déjeuna fort tard,
    Et qui pis est n'eut point d'offrande.


L'Infante cependant poursuivait son chemin,
Le visage couvert d'une vilaine crasse ;
    À tous Passants elle tendait la main,
Et tâchait pour servir de trouver une place.
Mais les moins délicats et les plus malheureux
La voyant si maussade et si pleine d'ordure,
Ne voulaient écouter ni retirer chez eux
    Une si sale créature.


Elle alla donc bien loin, bien loin, encor plus loin ;
Enfin elle arriva dans une Métairie
    Où la Fermière avait besoin
    D'une souillon, dont l'industrie
Allât jusqu'à savoir bien laver des torchons
    Et nettoyer l'auge aux Cochons.
On la mit dans un coin au fond de la cuisine
    Où les Valets, insolente vermine,
    Ne faisaient que la tirailler,
    La contredire et la railler ;
    Ils ne savaient quelle pièce lui faire,
    La harcelant à tout propos ;
    Elle était la butte ordinaire
De tous leurs quolibets et de tous leurs bons
                          [mots.


Elle avait le Dimanche un peu plus de repos ;
Car, ayant du matin fait sa petite affaire,
Elle entrait dans sa chambre en tenant son huis
                           [clos,
Elle se décrassait, puis ouvrait sa cassette,

*Elle partit la même nuit dans un joli cabriolet attelé d'un
gros mouton qui savait tous les chemins*

Mettait proprement sa toilette,
Rangeait dessus ses petits pots
Devant son grand miroir, contente et satisfaite,
De la Lune tantôt la robe elle mettait,
Tantôt celle où le feu du Soleil éclatait,
Tantôt la belle robe bleue
Que tout l'azur des Cieux ne saurait égaler,
Avec ce chagrin seul que leur traînante queue
Sur le plancher trop court ne pouvait s'étaler.
Elle aimait à se voir jeune, vermeille et blanche
Et plus brave cent fois que nulle autre n'était ;
Ce doux plaisir la sustentait
Et la menait jusqu'à l'autre Dimanche.

J'oubliais à dire en passant
Qu'en cette grande Métairie
D'un Roi magnifique et puissant
Se faisait la Ménagerie,
Que là, Poules de Barbarie,
Râles, Pintades, Cormorans,
Oisons musqués, Canes Petières,
Et mille autres oiseaux de bizarres manières,
Entre eux presque tous différents,
Remplissaient à l'envi dix cours toutes entières.

Le fils du Roi dans ce charmant séjour
Venait souvent au retour de la Chasse
Se reposer, boire à la glace
Avec les Seigneurs de sa Cour.
Tel ne fut point le beau Céphale :
Son air était Royal, sa mine martiale,
Propre à faire trembler les plus fiers bataillons.
Peau d'Âne de fort loin le vit avec tendresse,
Et reconnut par cette hardiesse

Que sous sa crasse et ses haillons
Elle gardait encor le cœur d'une Princesse.

« Qu'il a l'air grand, quoiqu'il l'ait négligé,
Qu'il est aimable, disait-elle,
Et que bien heureuse est la belle
À qui son cœur est engagé !
D'une robe de rien s'il m'avait honorée,
Je m'en trouverais plus parée
Que de toutes celles que j'ai. »

Un jour le jeune Prince errant à l'aventure
De basse-cour en basse-cour,
Passa dans une allée obscure
Où de Peau d'Âne était l'humble séjour.
Par hasard il mit l'œil au trou de la serrure.
Comme il était fête ce jour,
Elle avait pris une riche parure
Et ses superbes vêtements
Qui, tissus de fin or et de gros diamants,
Égalaient du Soleil la clarté la plus pure.
Le Prince au gré de son désir
La contemple et ne peut qu'à peine,
En la voyant, reprendre haleine,
Tant il est comblé de plaisir.
Quels que soient les habits, la beauté du visage,
Son beau tour, sa vive blancheur,
Ses traits fins, sa jeune fraîcheur
Le touchent cent fois davantage ;
Mais un certain air de grandeur,
Plus encore une sage et modeste pudeur,
Des beautés de son âme assuré témoignage,
S'emparèrent de tout son cœur.

Trois fois, dans la chaleur du feu qui le trans-
[porte,
   Il voulut enfoncer la porte ;
  Mais croyant voir une Divinité,
Trois fois par le respect son bras fut arrêté.


  Dans le Palais, pensif il se retire,
   Et là, nuit et jour il soupire ;
    Il ne veut plus aller au Bal
    Quoiqu'on soit dans le Carnaval.
  Il hait la Chasse, il hait la Comédie,
Il n'a plus d'appétit, tout lui fait mal au cœur,
   Et le fond de sa maladie
Est une triste et mortelle langueur.


Il s'enquit quelle était cette Nymphe admirable
   Qui demeurait dans une basse-cour,
    Au fond d'une allée effroyable,
   Où l'on ne voit goutte en plein jour.
« C'est, lui dit-on, Peau d'Âne, en rien Nymphe
[ni belle
   Et que Peau d'Âne l'on appelle,
À cause de la Peau qu'elle met sur son cou ;
   De l'Amour c'est le vrai remède,
   La bête en un mot la plus laide,
   Qu'on puisse voir après le Loup. »
  On a beau dire, il ne saurait le croire ;
   Les traits que l'amour a tracés
   Toujours présents à sa mémoire
   N'en seront jamais effacés.


  Cependant la Reine sa Mère
Qui n'a que lui d'enfant pleure et se désespère ;
De déclarer son mal elle le presse en vain,

Il gémit, il pleure, il soupire,
  Il ne dit rien, si ce n'est qu'il désire
Que Peau d'Âne lui fasse un gâteau de sa main ;
Et la Mère ne sait ce que son Fils veut dire.
    « Ô Ciel ! Madame, lui dit-on,
  Cette Peau d'Âne est une noire Taupe
    Plus vilaine encore et plus gaupe
    Que le plus sale Marmiton.
– N'importe, dit la Reine, il le faut satisfaire
Et c'est à cela seul que nous devons songer. »
Il aurait eu de l'or, tant l'aimait cette Mère,
    S'il en avait voulu manger.


    Peau d'Âne donc prend sa farine
    Qu'elle avait fait bluter exprès
    Pour rendre sa pâte plus fine,
    Son sel, son beurre et ses œufs frais ;
    Et pour bien faire sa galette,
    S'enferme seule en sa chambrette.


    D'abord elle se décrassa
    Les mains, les bras et le visage,
Et prit un corps d'argent que vite elle laça
    Pour dignement faire l'ouvrage
    Qu'aussitôt elle commença.
On dit qu'en travaillant un peu trop à la hâte,
De son doigt par hasard il tomba dans la pâte
    Un de ses anneaux de grand prix ;
Mais ceux qu'on tient savoir le fin de cette his-
                                        [toire
Assurent que par elle exprès il y fut mis ;
Et pour moi franchement je l'oserais bien croire,
Fort sûr que, quand le Prince à sa porte aborda
    Et par le trou la regarda,

Elle s'en était aperçue :
Sur ce point la femme est si drue
Et son œil va si promptement
Qu'on ne peut la voir un moment
Qu'elle ne sache qu'on l'a vue.
Je suis bien sûr encor, et j'en ferais serment,
Qu'elle ne douta point que de son jeune Amant
La Bague ne fût bien reçue.


On ne pétrit jamais un si friand morceau,
Et le Prince trouva la galette si bonne
Qu'il ne s'en fallut rien que d'une faim gloutonne
Il n'avalât aussi l'anneau.
Quand il en vit l'émeraude admirable,
Et du jonc d'or le cercle étroit,
Qui marquait la forme du doigt,
Son cœur en fut touché d'une joie incroyable ;
Sous son chevet il le mit à l'instant,
Et son mal toujours augmentant,
Les Médecins sages d'expérience,
En le voyant maigrir de jour en jour,
Jugèrent tous, par leur grande science,
Qu'il était malade d'amour.


Comme l'Hymen, quelque mal qu'on en die,
Est un remède exquis pour cette maladie,
On conclut à le marier ;
Il s'en fit quelque temps prier
Puis dit : « Je le veux bien, pourvu que l'on me
[donne
En mariage la personne
Pour qui cet anneau sera bon. »
À cette bizarre demande,
De la Reine et du Roi la surprise fut grande ;

Mais il était si mal qu'on n'osa dire non.
      Voilà donc qu'on se met en quête
De celle que l'anneau, sans nul égard du sang,
      Doit placer dans un si haut rang ;
      Il n'en est point qui ne s'apprête
      À venir présenter son doigt
      Ni qui veuille céder son droit.


Le bruit ayant couru que pour prétendre au
                          [Prince,
      Il faut avoir le doigt bien mince,
    Tout Charlatan, pour être bienvenu,
Dit qu'il a le secret de le rendre menu ;
    L'une, en suivant son bizarre caprice,
      Comme une rave le ratisse ;
      L'autre en coupe un petit morceau ;
Une autre en le pressant croit qu'elle l'apetisse ;
      Et l'autre, avec de certaine eau,
Pour le rendre moins gros en fait tomber la peau ;
      Il n'est enfin point de manœuvre
      Qu'une Dame ne mette en œuvre,
Pour faire que son doigt cadre bien à l'anneau.


L'essai fut commencé par les jeunes Princesses,
      Les Marquises et les Duchesses ;
      Mais leurs doigts quoique délicats,
      Étaient trop gros et n'entraient pas.
      Les Comtesses, et les Baronnes,
      Et toutes les nobles Personnes,
Comme elles tour à tour présentèrent leur main
      Et la présentèrent en vain.
      Ensuite vinrent les Grisettes.
      Dont les jolis et menus doigts,
      Car il en est de très bien faites,

Semblèrent à l'anneau s'ajuster quelquefois.
Mais la Bague toujours trop petite ou trop ronde
D'un dédain presque égal rebutait tout le monde.

Il fallut en venir enfin
Aux Servantes, aux Cuisinières,
Aux Tortillons, aux Dindonnières,
En un mot à tout le fretin,
Dont les rouges et noires pattes,
Non moins que les mains délicates,
Espéraient un heureux destin.
Il s'y présenta mainte fille
Dont le doigt, gros et ramassé,
Dans la Bague du Prince eût aussi peu passé
Qu'un câble au travers d'une aiguille.

On crut enfin que c'était fait,
Car il ne restait en effet,
Que la pauvre Peau d'Âne au fond de la cuisine.
Mais comment croire, disait-on,
Qu'à régner le ciel la destine !
Le Prince dit : « Et pourquoi non ?
Qu'on la fasse venir. » Chacun se prit à rire.
Criant tout haut : « Que veut-on dire,
De faire entrer ici cette sale guenon ? »
Mais lorsqu'elle tira de dessous sa peau noire
Une petite main qui semblait de l'ivoire
Qu'un peu de pourpre a coloré,
Et que de la Bague fatale,
D'une justesse sans égale
Son petit doigt fut entouré,
La Cour fut dans une surprise
Qui ne peut pas être comprise.

On la menait au Roi dans ce transport subit ;
Mais elle demanda qu'avant que de paraître
      Devant son Seigneur et son Maître,
On lui donnât le temps de prendre un autre
                         [habit.
    De cet habit, pour la vérité dire,
    De tous côtés on s'apprêtait à rire ;
Mais lorsqu'elle arriva dans les Appartements,
      Et qu'elle eut traversé les salles
      Avec ses pompeux vêtements
Dont les riches beautés n'eurent jamais d'égales ;
      Que ses aimables cheveux blonds
Mêlés de diamants dont la vive lumière
      En faisait autant de rayons,
      Que ses yeux bleus, grands, doux et longs,
      Qui pleins d'une Majesté fière
Ne regardent jamais sans plaire et sans blesser,
Et que sa taille enfin si menue et si fine
Qu'avecque ses deux mains on eût pu l'em-
                         [brasser,
Montrèrent leurs appas et leur grâce divine,
Des Dames de la Cour, et de leurs ornements
      Tombèrent tous les agréments.

Dans la joie et le bruit de toute l'Assemblée,
      Le bon Roi ne se sentait pas
   De voir sa Bru posséder tant d'appâts ;
      La Reine en était affolée,
      Et le Prince son cher Amant,
      De cent plaisirs l'âme comblée,
Succombait sous le poids de son ravissement.

Pour l'Hymen aussitôt chacun prit ses mesures ;
Le Monarque en pria tous les Rois d'alentour,

*Il vint des rois de tous les pays*

Qui, tous brillants de diverses parures,
Quittèrent leurs États pour être à ce grand jour.
On en vit arriver des climats de l'Aurore,
    Montés sur de grands Éléphants ;
    Il en vint du rivage More,
    Qui, plus noirs et plus laids encore,
    Faisaient peur aux petits enfants ;
    Enfin de tous les coins du Monde,
Il en débarque et la Cour en abonde.

    Mais nul Prince, nul Potentat,
    N'y parut avec tant d'éclat
    Que le père de l'Épousée,
    Qui d'elle autrefois amoureux
Avait avec le temps purifié les feux
    Dont son âme était embrasée.
Il en avait banni tout désir criminel
    Et de cette odieuse flamme
    Le peu qui restait dans son âme
N'en rendait que plus vif son amour paternel.
    Dès qu'il la vit : « Que béni soit le Ciel
    Qui veut bien que je te revoie,
Ma chère enfant », dit-il, et tout pleurant de joie,
    Courut tendrement l'embrasser ;
Chacun à son bonheur voulut s'intéresser,
Et le futur Époux était ravi d'apprendre
Que d'un Roi si puissant il devenait le Gendre.
    Dans ce moment la Marraine arriva
    Qui raconta toute l'histoire,
    Et par son récit acheva
    De combler Peau d'Âne de gloire.

    Il n'est pas malaisé de voir
Que le but de ce Conte est qu'un Enfant apprenne

## Peau d'Âne

Qu'il vaut mieux s'exposer à la plus rude peine
    Que de manquer à son devoir ;
  Que la Vertu peut être infortunée
    Mais qu'elle est toujours couronnée ;

Que contre un fol amour et ses fougueux trans-
                        [ports
La Raison la plus forte est une faible digue,
  Et qu'il n'est point de si riches trésors
    Dont un Amant ne soit prodigue ;

    Que de l'eau claire et du pain bis
    Suffisent pour la nourriture
    De toute jeune Créature,
    Pourvu qu'elle ait de beaux habits ;
  Que sous le Ciel il n'est point de femelle
    Qui ne s'imagine être belle,
  Et qui souvent ne s'imagine encor
Que si des trois Beautés la fameuse querelle
    S'était démêlée avec elle,
    Elle aurait eu la pomme d'or.

Le Conte de Peau d'Âne est difficile à croire,
Mais tant que dans le Monde on aura des
                     [Enfants,
    Des Mères et des Mères-grands,
    On en gardera la mémoire.

# LES SOUHAITS RIDICULES

*Conte*

À Mademoiselle de la C***

Si vous étiez moins raisonnable,
Je me garderais bien de venir vous conter
La folle et peu galante fable
Que je m'en vais vous débiter.
Une aune de Boudin en fournit la matière.
« Une aune de Boudin, ma chère !
Quelle pitié ! c'est une horreur »,
S'écriait une Précieuse,
Qui toujours tendre et sérieuse
Ne veut ouïr parler que d'affaires de cœur.
Mais vous qui mieux qu'Âme qui vive
Savez charmer en racontant,
Et dont l'expression est toujours si naïve,
Que l'on croit voir ce qu'on entend ;
Qui savez que c'est la manière
Dont quelque chose est inventé,
Qui beaucoup plus que la matière
De tout Récit fait la beauté,
Vous aimerez ma fable et sa moralité ;
J'en ai, j'ose le dire, une assurance entière.

Il était une fois un pauvre Bûcheron
      Qui las de sa pénible vie,
      Avait, disait-il, grande envie
De s'aller reposer aux bords de l'Achéron :
      Représentant, dans sa douleur profonde,
      Que depuis qu'il était au monde,
      Le Ciel cruel n'avait jamais
Voulu remplir un seul de ses souhaits.


Un jour que, dans le Bois, il se mit à se plaindre,
À lui, la foudre en main, Jupiter s'apparut.
      On aurait peine à bien dépeindre
      La peur que le bonhomme en eut.
« Je ne veux rien, dit-il, en se jetant par terre,
      Points de souhaits, point de Tonnerre,
      Seigneur, demeurons but à but.
      – Cesse d'avoir aucune crainte ;
Je viens, dit Jupiter, touché de ta complainte,
     Te faire voir le tort que tu me fais.
      Écoute donc. Je te promets,
Moi qui du monde entier suis le souverain maître,
D'exaucer pleinement les trois premiers souhaits
Que tu voudras former sur quoi que ce puisse
                       [être.
      Vois ce qui peut te rendre heureux,
      Vois ce qui peut te satisfaire ;
Et comme ton bonheur dépend tout de tes vœux,
     Songes-y bien avant que de les faire. »


À ces mots Jupiter dans les Cieux remonta,
Et le gai Bûcheron, embrassant sa falourde,
Pour retourner chez lui sur son dos la jeta.
Cette charge jamais ne lui parut moins lourde.
     « Il ne faut pas, disait-il en trottant,

Dans tout ceci, rien faire à la légère ;
    Il faut, le cas est important,
En prendre avis de notre ménagère.
Ça, dit-il, en entrant sous son toit de fougère,
    Faisons, Fanchon, grand feu, grand chère,
    Nous sommes riches à jamais,
Et nous n'avons qu'à faire des souhaits. »
Là-dessus tout au long le fait il lui raconte
    À ce récit, l'Épouse vive et prompte
Forma dans son esprit mille vastes projets ;
    Mais considérant l'importance
    De s'y conduire avec prudence :
« Blaise, mon cher ami, dit-elle à son époux,
    Ne gâtons rien par notre impatience ;
    Examinons bien entre nous
    Ce qu'il faut faire en pareille occurrence ;
Remettons à demain notre premier souhait
    Et consultons notre chevet.
– Je l'entends bien ainsi, dit le bonhomme Blaise ;
Mais va tirer du vin derrière ces fagots. »
À son retour il but, en goûtant à son aise
    Près d'un grand feu la douceur du repos,
Il dit, en s'appuyant sur le dos de sa chaise :
« Pendant que nous avons une si bonne braise,
Qu'une aune de Boudin viendrait bien à pro-
        [pos ! »
À peine acheva-t-il de prononcer ces mots
Que sa femme aperçut, grandement étonnée,
    Un Boudin fort long, qui partant
    D'un des coins de la cheminée,
    S'approchait d'elle en serpentant.
    Elle fit un cri dans l'instant ;
    Mais jugeant que cette aventure
    Avait pour cause le souhait

Que par bêtise toute pure
Son homme imprudent avait fait,
Il n'est point de pouille et d'injure
Que de dépit et de courroux
Elle ne dît au pauvre époux.
« Quand on peut, disait-elle, obtenir un Empire,
De l'or, des perles, des rubis,
Des diamants, de beaux habits,
Est-ce alors du Boudin qu'il faut que l'on désire ?
– Eh bien, j'ai tort, dit-il, j'ai mal placé mon
[choix,
J'ai commis une faute énorme,
Je ferai mieux une autre fois.
– Bon, bon, dit-elle, attendez-moi sous l'orme,
Pour faire un tel souhait, il faut être bien bœuf ! »
L'époux plus d'une fois, emporté de colère,
Pensa faire tout bas le souhait d'être veuf,
Et peut-être, entre nous, ne pouvait-il mieux
[faire :
« Les hommes, disait-il, pour souffrir sont bien
[nés !
Peste soit du Boudin et du Boudin encore ;
Plût à Dieu, maudite Pécore,
Qu'il te pendît au bout du nez ! »

La prière aussitôt du Ciel fut écoutée,
Et dès que le Mari la parole lâcha,
Au nez de l'épouse irritée
L'aune de Boudin s'attacha.
Ce prodige imprévu grandement le fâcha.
Fanchon était jolie, elle avait bonne grâce,
Et pour dire sans fard la vérité du fait,
Cet ornement en cette place
Ne faisait pas un bon effet ;

Si ce n'est qu'en pendant sur le bas du visage,
    Il l'empêchait de parler aisément,
    Pour un époux merveilleux avantage,
Et si grand qu'il pensa dans cet heureux moment
        Ne souhaiter rien davantage.
    « Je pourrais bien, disait-il à part soi,
        Après un malheur si funeste,
        Avec le souhait qui me reste,
        Tout d'un plein saut me faire Roi.
Rien n'égale, il est vrai, la grandeur souveraine ;
        Mais encore faut-il songer
        Comment serait faite la Reine,
Et dans quelle douleur ce serait la plonger
        De l'aller placer sur un trône
        Avec un nez plus long qu'une aune.
        Il faut l'écouter sur cela,
    Et qu'elle-même elle soit la maîtresse
    De devenir une grande Princesse
    En conservant l'horrible nez qu'elle a,
        Ou de demeurer Bûcheronne
    Avec un nez comme une autre personne,
Et tel qu'elle l'avait avant ce malheur-là. »


        La chose bien examinée,
Quoiqu'elle sût d'un sceptre et la force et l'effet,
        Et que, quand on est couronnée,
        On a toujours le nez bien fait ;
Comme au désir de plaire il n'est rien qui ne cède,
    Elle aima mieux garder son Bavolet
        Que d'être Reine et d'être laide.


Ainsi le Bûcheron ne changea point d'état,
        Ne devint point grand Potentat,
        D'écus ne remplit point sa bourse,

*Les Souhaits ridicules*

Trop heureux d'employer le souhait qui restait,
Faible bonheur, pauvre ressource,
À remettre sa femme en l'état qu'elle était.

Bien est donc vrai qu'aux hommes misérables,
Aveugles, imprudents, inquiets, variables,
Pas n'appartient de faire des souhaits,
Et que peu d'entre eux sont capables
De bien user des dons que le Ciel leur a faits.

# HISTOIRES OU CONTES
## DU TEMPS PASSÉ

### AVEC DES MORALITÉS

## À Mademoiselle

Mademoiselle,

On ne trouvera pas étrange qu'un Enfant ait pris plaisir à composer les Contes de ce Recueil, mais on s'étonnera qu'il ait eut la hardiesse de vous les présenter. Cependant, Mademoiselle, quelque disproportion qu'il y ait entre la simplicité de ces Récits, et les lumières de votre esprit, si on examine bien ces Contes, on verra que je ne suis pas aussi blâmable que je le parais d'abord. Ils renferment tous une Morale très sensée, et qui se découvre plus ou moins, selon le degré de pénétration de ceux qui les lisent ; d'ailleurs comme rien ne marque tant la vaste étendue d'un esprit, que de pouvoir s'élever en même temps aux plus grandes choses, et s'abaisser aux plus petites, on ne sera point surpris que la même Princesse, à qui la Nature et l'éducation ont rendu familier ce qu'il y a de plus élevé, ne dédaigne pas de prendre plaisir à de semblables bagatelles. Il est vrai que ces Contes donnent une image de ce qui se passe dans les moindres Familles, où la louable impatience d'instruire les enfants fait imaginer des Histoires dépourvues de raison, pour s'accommoder à ces mêmes enfants qui n'en ont pas encore ; mais à qui convient-il mieux de connaître comment vivent les Peuples, qu'aux Personnes que le Ciel destine à les conduire ? Le désir de cette connaissance a poussé des Héros, et même des Héros de votre Race, jusque dans des huttes et des cabanes, pour y voir de près et par eux-mêmes ce qui s'y passait de plus particulier, cette connaissance leur ayant paru nécessaire pour leur parfaite instruction. Quoi qu'il en soit, MADEMOISELLE,

*Pouvais-je mieux choisir pour rendre vraisemblable*
    *Ce que la Fable a d'incroyable ?*
    *Et jamais Fée au temps jadis*
    *Fit-elle à jeune Créature,*
    *Plus de dons, et de dons exquis,*
    *Que vous en a fait la Nature ?*

Je suis avec un très profond respect,
    MADEMOISELLE,
      De Votre Altesse Royale,
        Le très humble et
        très obéissant serviteur,
        P. DARMANCOUR.

# LA BELLE AU BOIS DORMANT

*Conte*

Il était une fois un Roi et une Reine, qui étaient si fâchés de n'avoir point d'enfants, si fâchés qu'on ne saurait dire. Ils allèrent à toutes les eaux du monde ; vœux, pèlerinages, menues dévotions, tout fut mis en œuvre, et rien n'y faisait. Enfin pourtant la Reine devint grosse, et accoucha d'une fille : on fit un beau Baptême ; on donna pour Marraines à la petite Princesse toutes les Fées qu'on put trouver dans le Pays (il s'en trouva sept), afin que chacune d'elles lui faisant un don, comme c'était la coutume des Fées en ce temps-là, la Princesse eût par ce moyen toutes les perfections imaginables. Après les cérémonies du Baptême toute la compagnie revint au Palais du Roi, où il y avait un grand festin pour les Fées. On mit devant chacune d'elles un couvert magnifique, avec un étui d'or massif, où il y avait une cuiller, une fourchette, et un couteau de fin or, garni de diamants et de rubis. Mais comme chacun prenait sa place à table, on vit entrer une vieille Fée qu'on n'avait point priée parce qu'il y avait plus de cinquante ans qu'elle n'était sortie d'une Tour et qu'on la croyait morte, ou enchantée. Le Roi lui fit donner un couvert, mais il n'y eut pas moyen de lui donner un étui d'or massif, comme aux autres, parce que l'on n'en avait fait faire que sept pour les sept Fées. La vieille crut qu'on la méprisait, et grommela quelques menaces entre ses dents. Une des jeunes Fées qui se trouva auprès d'elle l'entendit, et jugeant qu'elle pourrait donner quelque fâcheux don à la petite Princesse, alla dès qu'on fut sorti de table se cacher derrière la tapisserie afin de parler la dernière, et de pouvoir réparer autant qu'il lui serait possible le mal que la vieille aurait fait. Cependant les Fées commencèrent à faire leurs dons à la Princesse. La plus jeune donna pour don qu'elle serait la plus belle personne du monde, celle d'après qu'elle aurait de l'esprit comme un Ange, la troisième qu'elle aurait une grâce admirable à tout ce qu'elle ferait, la quatrième qu'elle danserait parfaitement bien, la cinquième qu'elle chanterait comme un Rossignol, et la sixième qu'elle jouerait de toutes sortes d'instruments dans la dernière perfection. Le rang de la vieille Fée étant venu, elle dit, en branlant la tête encore plus de dépit que de vieillesse, que la Princesse se percerait la main d'un fuseau, et qu'elle en mourrait. Ce terrible don fit frémir toute la compagnie, et il n'y eut personne qui ne pleurât. Dans ce moment la jeune fée sortit de derrière la tapisserie, et dit tout haut ces paroles : « Rassurez-vous, Roi et Reine, votre fille n'en mourra pas ; il est vrai que je n'ai pas assez de puissance pour défaire entièrement ce que mon ancienne a fait. La Princesse se percera la main d'un fuseau ; mais au lieu d'en mourir, elle tombera seulement dans un profond sommeil qui durera cent ans, au bout desquels le fils d'un Roi viendra la réveiller. » Le Roi, pour tâcher d'éviter le malheur annoncé par la vieille, fit publier aussitôt un Édit, par lequel il défendait à toutes personnes de filer au fuseau, ni d'avoir des fuseaux chez soi sur peine de la vie. Au bout de quinze ou seize ans, le Roi et la Reine étant allés à une de leurs Maisons de plaisance, il arriva que la jeune Princesse courant un jour dans le Château, et montant de chambre en chambre, alla jusqu'au haut d'un donjon dans un petit galetas, où une bonne Vieille était seule à filer sa quenouille. Cette bonne femme n'avait point ouï parler des défenses que le Roi avait faites de filer au fuseau. « Que faites-vous là, ma bonne femme ? dit la Princesse. – Je file, ma belle enfant, lui répondit la vieille qui ne la connaissait pas. – Ah ! que cela est joli, reprit la Princesse, comment faites-vous ? donnez-moi que je voie si j'en ferais bien autant. » Elle n'eut pas plus tôt pris le fuseau, que comme elle était fort vive, un peu étourdie, et que d'ailleurs l'Arrêt des Fées l'ordonnait ainsi, elle s'en perça la main, et tomba évanouie. La bonne vieille, bien embarrassée, crie au secours : on vient de tous côtés, on jette de l'eau au visage de la Princesse, on la délace, on lui frappe dans les mains, on lui frotte les temples avec de l'eau de la reine de Hongrie, mais rien ne la faisait revenir. Alors le Roi, qui était monté au bruit, se souvint de la prédiction des Fées, et jugeant bien qu'il fallait

*Cette bonne femme n'avait point ouï parler des défenses
que le roi avait faites de filer au fuseau*

que cela arrivât, puisque les Fées l'avaient dit, fit mettre la Princesse dans le plus bel appartement du Palais, sur un lit en broderie d'or et d'argent. On eût dit d'un Ange, tant elle était belle ; car son évanouissement n'avait pas ôté les couleurs vives de son teint : ses joues étaient incarnates, et ses lèvres comme du corail ; elle avait seulement les yeux fermés, mais on l'entendait respirer doucement, ce qui faisait voir qu'elle n'était pas morte. Le Roi ordonna qu'on la laissât dormir en repos, jusqu'à ce que son heure de se réveiller fut venue. La bonne Fée qui lui avait sauvé la vie, en la condamnant à dormir cent ans, était dans le Royaume de Mataquin, à douze mille lieues de là, lorsque l'accident arriva à la Princesse ; mais elle en fut avertie en un instant par un petit Nain, qui avait des bottes de sept lieues (c'était des bottes avec lesquelles on faisait sept lieues d'une seule enjambée). La Fée partit aussitôt, et on la vit au bout d'une heure arriver dans un chariot tout de feu, traîné par des dragons. Le Roi lui alla présenter la main à la descente du chariot. Elle approuva tout ce qu'il avait fait ; mais comme elle était grandement prévoyante, elle pensa que quand la Princesse viendrait à se réveiller, elle serait bien embarrassée toute seule dans ce vieux Château : voici ce qu'elle fit. Elle toucha de sa baguette tout ce qui était dans ce Château (hors le Roi et la Reine), Gouvernantes, Filles d'Honneur, Femmes de Chambre, Gentils-hommes, Officiers, Maîtres d'Hôtel, Cuisiniers, Marmitons, Galopins, Gardes, Suisses, Pages, Valets de pied ; elle toucha aussi tous les che-

vaux qui étaient dans les Écuries, avec les Pale-
freniers, les gros mâtins de basse-cour et la
petite Pouffe, petite chienne de la Princesse, qui
était auprès d'elle sur son lit. Dès qu'elle les eut
touchés, ils s'endormirent tous, pour ne se
réveiller qu'en même temps que leur Maîtresse,
afin d'être tout prêts à la servir quand elle en
aurait besoin ; les broches mêmes qui étaient au
feu toutes pleines de perdrix et de faisans
s'endormirent, et le feu aussi. Tout cela se fit en
un moment ; les Fées n'étaient pas longues à
leur besogne. Alors le Roi et la Reine, après
avoir baisé leur chère enfant sans qu'elle
s'éveillât, sortirent du Château, et firent publier
des défenses à qui que ce soit d'en approcher.
Ces défenses n'étaient pas nécessaires, car il
crût dans un quart d'heure tout autour du parc
une si grande quantité de grands arbres et de
petits, de ronces et d'épines entrelacées les unes
dans les autres, que bête ni homme n'y aurait
pu passer : en sorte qu'on ne voyait plus que le
haut des Tours du Château, encore n'était-ce
que de bien loin. On ne douta point que la Fée
n'eût encore fait là un tour de son métier, afin
que la Princesse, pendant qu'elle dormirait,
n'eût rien à craindre des Curieux.

Au bout de cent ans, le Fils du Roi qui
régnait alors, et qui était d'une autre famille que
la Princesse endormie, étant allé à la chasse de
ce côté-là, demanda ce que c'était que des
Tours qu'il voyait au-dessus d'un grand bois
fort épais ; chacun lui répondit selon qu'il en
avait ouï parler. Les uns disaient que c'était un
vieux Château où il revenait des Esprits ; les

autres que tous les Sorciers de la contrée y faisaient leur sabbat. La plus commune opinion
était qu'un Ogre y demeurait, et que là il
emportait tous les enfants qu'il pouvait
attraper, pour les pouvoir manger à son aise, et
sans qu'on le pût suivre, ayant seul le pouvoir
de se faire un passage au travers du bois. Le
Prince ne savait qu'en croire, lorsqu'un vieux
Paysan prit la parole, et lui dit : « Mon Prince, il
y a plus de cinquante ans que j'ai ouï dire à mon
père qu'il y avait dans ce Château une Princesse, la plus belle du monde ; qu'elle y devait
dormir cent ans, et qu'elle serait réveillée par le
fils d'un Roi, à qui elle était réservée. » Le jeune
Prince, à ce discours, se sentit tout de feu ; il
crut sans balancer qu'il mettrait fin à une si
belle aventure ; et poussé par l'amour et par la
gloire, il résolut de voir sur-le-champ ce qui en
était. À peine s'avança-t-il vers le bois, que tous
ces grands arbres, ces ronces et ces épines
s'écartèrent d'elles-mêmes pour le laisser passer : il marche vers le Château qu'il voyait au
bout d'une grande avenue où il entra, et ce qui
le surprit un peu, il vit que personne de ses gens
ne l'avait pu suivre, parce que les arbres
s'étaient rapprochés dès qu'il avait été passé. Il
ne laissa pas de continuer son chemin : un
Prince jeune et amoureux est toujours vaillant.
Il entra dans une grande avant-cour où tout ce
qu'il vit d'abord était capable de le glacer de
crainte : c'était un silence affreux, l'image de la
mort s'y présentait partout, et ce n'était que des
corps étendus d'hommes et d'animaux, qui
paraissaient morts. Il reconnut pourtant bien au

nez bourgeonné et à la face vermeille des Suisses, qu'ils n'étaient qu'endormis, et leurs tasses où il y avait encore quelques gouttes de vin montraient assez qu'ils s'étaient endormis en buvant. Il passe une grande cour pavée de marbre, il monte l'escalier, il entre dans la salle des Gardes qui étaient rangés en haie, la carabine sur l'épaule, et ronflant de leur mieux. Il traverse plusieurs chambres pleines de Gentilshommes et de Dames, dormant tous, les uns debout, les autres assis, il entre dans une chambre toute dorée, et il vit sur un lit, dont les rideaux étaient ouverts de tous côtés, le plus beau spectacle qu'il eût jamais vu : une Princesse qui paraissait avoir quinze ou seize ans, et dont l'éclat resplendissant avait quelque chose de lumineux et de divin. Il s'approcha en tremblant et en admirant, et se mit à genoux auprès d'elle.

Alors comme la fin de l'enchantement était venue, la Princesse s'éveilla ; et le regardant avec des yeux plus tendres qu'une première vue ne semblait le permettre : « Est-ce vous, mon Prince ? lui dit-elle, vous vous êtes bien fait attendre. » Le Prince charmé de ces paroles, et plus encore de la manière dont elles étaient dites, ne savait comment lui témoigner sa joie et sa reconnaissance ; il l'assura qu'il l'aimait plus que lui-même. Ses discours furent mal rangés ; ils en plurent davantage ; peu d'éloquence, beaucoup d'amour. Il était plus embarrassé qu'elle, et l'on ne doit pas s'en étonner ; elle avait eu le temps de songer à ce qu'elle aurait à lui dire, car il y a apparence (l'Histoire n'en dit

*Ce n'était que corps étendus d'hommes et d'animaux
qui paraissaient morts*

*Il vit sur un lit une princesse qui paraissait
avoir quinze ou seize ans*

pourtant rien) que la bonne Fée, pendant un si long sommeil, lui avait procuré le plaisir des songes agréables. Enfin il y avait quatre heures qu'ils se parlaient, et ils ne s'étaient pas encore dit la moitié des choses qu'ils avaient à se dire.

Cependant tout le Palais s'était réveillé avec la Princesse, chacun songeait à faire sa charge, et comme ils n'étaient pas tous amoureux, ils mouraient de faim ; la Dame d'honneur, pressée comme les autres, s'impatienta, et dit tout haut à la Princesse que la viande était servie. Le Prince aida à la Princesse à se lever ; elle était tout habillée et fort magnifiquement ; mais il se garda bien de lui dire qu'elle était habillée comme ma mère-grand, et qu'elle avait un collet monté ; elle n'en était pas moins belle. Ils passèrent dans un Salon de miroirs, et y soupèrent, servis par les Officiers de la Princesse, les Violons et les Hautbois jouèrent de vieilles pièces, mais excellentes, quoiqu'il y eût près de cent ans qu'on ne les jouât plus ; et après souper, sans perdre de temps, le grand Aumônier les maria dans la Chapelle du Château et la Dame d'honneur leur tira le rideau ; ils dormirent peu, la Princesse n'en avait pas grand besoin, et le Prince la quitta dès le matin pour retourner à la Ville, où son Père devait être en peine de lui. Le Prince lui dit qu'en chassant il s'était perdu dans la forêt, et qu'il avait couché dans la hutte d'un Charbonnier, qui lui avait fait manger du pain noir et du fromage. Le Roi son père, qui était bon homme, le crut, mais sa Mère n'en fut pas bien persuadée, et voyant qu'il allait presque tous les jours à la chasse, et

qu'il avait toujours une raison en main pour
s'excuser, quand il avait couché deux ou trois
nuits dehors, elle ne douta plus qu'il n'eût
quelque amourette : car il vécut avec la Princesse plus de deux ans entiers et en eut deux
enfants, dont le premier, qui fut une fille, fut
nommée l'Aurore, et le second un fils, qu'on
nomma le Jour, parce qu'il paraissait encore
plus beau que sa sœur. La Reine dit plusieurs
fois à son fils, pour le faire expliquer, qu'il fallait
se contenter dans la vie, mais il n'osa jamais se
fier à elle de son secret ; il la craignait quoiqu'il
l'aimât, car elle était de race Ogresse, et le Roi
ne l'avait épousée qu'à cause de ses grands
biens ; on disait même tout bas à la Cour qu'elle
avait les inclinations des Ogres et qu'en voyant
passer de petits enfants, elle avait toutes les
peines du monde à se retenir de se jeter sur
eux ; ainsi le Prince ne voulut jamais rien dire.
Mais quand le Roi fut mort, ce qui arriva au
bout de deux ans, et qu'il se vit maître il déclara
publiquement son Mariage, et alla en grande
cérémonie quérir la Reine sa femme dans son
Château. On lui fit une entrée magnifique dans
la Ville Capitale, où elle entra au milieu de ses
deux enfants. Quelque temps après le Roi alla
faire la guerre à l'Empereur Cantalabutte son
voisin. Il laissa la Régence du Royaume à la
Reine sa mère, et lui recommanda fort sa
femme et ses enfants : il devait être à la guerre
tout l'Été, et dès qu'il fut parti, la Reine-Mère
envoya sa Bru et ses enfants à une maison de
campagne dans les bois, pour pouvoir plus aisément assouvir son horrible envie. Elle y alla

quelques jours après, et dit un soir à son Maître d'Hôtel : « Je veux manger demain à mon dîner la petite Aurore. – Ah ! Madame, dit le Maître d'Hôtel. – Je le veux, dit la Reine (et elle le dit d'un ton d'Ogresse qui a envie de manger de la chair fraîche), et je la veux manger à la Sauce-robert. » Ce pauvre homme voyant bien qu'il ne fallait pas se jouer à une Ogresse, prit son grand couteau, et monta à la chambre de la petite Aurore : elle avait pour lors quatre ans, et vint en sautant et riant se jeter à son col, et lui demander du bonbon. Il se mit à pleurer, le couteau lui tomba des mains et il alla dans la basse-cour couper la gorge à un petit agneau, et il lui fit une si bonne sauce que sa Maîtresse l'assura qu'elle n'avait jamais rien mangé de si bon. Il avait emporté en même temps la petite Aurore, et l'avait donnée à sa femme pour la cacher dans le logement qu'elle avait au fond de la basse-cour. Huit jours après la méchante Reine dit à son Maître d'Hôtel : « Je veux manger à mon souper le petit Jour. » Il ne répliqua pas, résolu de la tromper comme l'autre fois ; il alla chercher le petit Jour, et le trouva avec un petit fleuret à la main, dont il faisait des armes avec un gros Singe ; il n'avait pourtant que trois ans. Il le porta à sa femme qui le cacha avec la petite Aurore, et donna à la place du petit Jour un petit chevreau fort tendre, que l'Ogresse trouva admirablement bon.

Cela était fort bien allé jusque-là ; mais un soir cette méchante Reine dit au Maître d'Hôtel : « Je veux manger la Reine à la même sauce que ses enfants. » Ce fut alors que le pauvre Maître d'Hôtel désespéra de la pouvoir encore tromper. La jeune Reine avait vingt ans passés, sans compter les cent ans qu'elle avait dormi : sa peau était un peu dure, quoique belle et blanche ; et le moyen de trouver dans la Ménagerie une bête aussi dure que cela ? Il prit la résolution, pour sauver sa vie, de couper la gorge à la Reine, et monta dans sa chambre, dans l'intention de n'en pas faire à deux fois ; il s'excitait à la fureur, et entra le poignard à la main dans la chambre de la jeune Reine. Il ne voulut pourtant point la surprendre, et il lui dit avec beaucoup de respect l'ordre qu'il avait reçu de la Reine-Mère. « Faites votre devoir, lui dit-elle, en lui tendant le col, exécutez l'ordre qu'on vous a donné ; j'irai revoir mes enfants, mes pauvres enfants que j'ai tant aimés » ; car elle les croyait morts depuis qu'on les avait enlevés sans lui rien dire. « Non, non, Madame, lui répondit le pauvre Maître d'Hôtel tout attendri, vous ne mourrez point, et vous ne laisserez pas d'aller revoir vos chers enfants, mais ce sera chez moi où je les ai cachés, et je tromperai encore la Reine, en lui faisant manger une jeune biche en votre place. » Il la mena aussitôt à sa chambre, où la laissant embrasser ses enfants et pleurer avec eux, il alla accommoder une biche, que la Reine mangea à son souper, avec le même appétit que si c'eût été la jeune Reine. Elle était bien contente de sa cruauté, et elle se préparait à dire au Roi, à son retour, que les loups enragés avaient mangé la Reine sa femme et ses deux enfants.

Un soir qu'elle rôdait à son ordinaire dans les cours et basses-cours du Château pour y halener quelque viande fraîche, elle entendit dans une salle basse le petit Jour qui pleurait, parce que la Reine sa mère le voulait faire fouetter, à cause qu'il avait été méchant, et elle entendit aussi la petite Aurore qui demandait pardon pour son frère. L'Ogresse reconnut la voix de la Reine et de ses enfants, et furieuse d'avoir été trompée, elle commande dès le lendemain au matin, avec une voix épouvantable qui faisait trembler tout le monde, qu'on apportât au milieu de la cour une grande cuve, qu'elle fit remplir de crapauds, de vipères, de couleuvres et de serpents, pour y faire jeter la Reine et ses enfants, le Maître d'Hôtel, sa femme et sa servante : elle avait donné l'ordre de les amener les mains liées derrière le dos. Ils étaient là, et les bourreaux se préparaient à les jeter dans la cuve, lorsque le Roi, qu'on n'attendait pas si tôt, entra dans la cour à cheval ; il était venu en poste, et demanda tout étonné ce que voulait dire cet horrible spectacle ; personne n'osait l'en instruire, quand l'Ogresse, enragée de voir ce qu'elle voyait, se jeta elle-même la tête la première dans la cuve, et fut dévorée en un instant par les vilaines bêtes qu'elle y avait fait mettre. Le Roi ne laissa pas d'en être fâché ; elle était sa mère ; mais il s'en consola bientôt avec sa belle femme et ses enfants.

*La Belle au bois dormant*

MORALITÉ

Attendre quelque temps pour avoir un Époux,
　　Riche, bien fait, galant et doux.
　　La chose est assez naturelle,
Mais l'attendre cent ans, et toujours en dormant.
　　On ne trouve plus de femelle,
　　Qui dormît si tranquillement.

La Fable semble encor vouloir nous faire entendre,
Que souvent de l'Hymen les agréables nœuds,
Pour être différés n'en sont pas moins heureux,
　　Et qu'on ne perd rien pour attendre ;

　　Mais le sexe avec tant d'ardeur,
　　Aspire à la foi conjugale,
　Que je n'ai pas la force ni le cœur,
　　De lui prêcher cette morale.

*En passant dans un bois, elle rencontra compère le Loup*

# LE PETIT CHAPERON ROUGE

*Conte*

Il était une fois une petite fille de Village, la plus jolie qu'on eût su voir ; sa mère en était folle, et sa mère-grand plus folle encore. Cette bonne femme lui fit faire un petit chaperon rouge, qui lui seyait si bien, que partout on l'appelait le Petit chaperon rouge.

Un jour sa mère, ayant cuit et fait des galettes, lui dit : « Va voir comme se porte ta mère-grand, car on m'a dit qu'elle était malade, porte-lui une galette et ce petit pot de beurre. » Le petit chaperon rouge partit aussitôt pour aller chez sa mère-grand, qui demeurait dans un autre Village. En passant dans un bois elle rencontra compère le Loup, qui eut bien envie de la manger ; mais il n'osa, à cause de quelques Bûcherons qui étaient dans la Forêt. Il lui demanda où elle allait ; la pauvre enfant, qui ne savait pas qu'il est dangereux de s'arrêter à écouter un Loup, lui dit : « Je vais voir ma Mère-grand, et lui porter une galette avec un petit pot de beurre que ma Mère lui envoie. – Demeure-t-elle bien loin ? lui dit le Loup. – Oh ! oui, dit le petit chaperon rouge, c'est par-delà le moulin

*Cela n'empêche pas qu'avec ses grandes dents il avait mangé une bonne grand-mère*

que vous voyez tout là-bas, là-bas, à la première maison du Village. – Eh bien, dit le Loup, je veux l'aller voir aussi ; je m'y en vais par ce chemin ici, et toi par ce chemin-là, et nous verrons qui plus tôt y sera. » Le Loup se mit à courir de toute sa force par le chemin qui était le plus court, et la petite fille s'en alla par le chemin le plus long, s'amusant à cueillir des noisettes, à courir après des papillons, et à faire des bouquets des petites fleurs qu'elle rencontrait. Le Loup ne fut pas longtemps à arriver à la maison de la Mère-grand ; il heurte : Toc, toc. « Qui est là ? – C'est votre fille le petit chaperon rouge (dit le Loup, en contrefaisant sa voix) qui vous apporte une galette et un petit pot de beurre que ma Mère vous envoie. » La bonne Mère-grand, qui était dans son lit à cause qu'elle se trouvait un peu mal, lui cria : « Tire la chevillette, la bobinette cherra. » Le Loup tira la chevillette et la porte s'ouvrit. Il se jeta sur la bonne femme, et la dévora en moins de rien ; car il y avait plus de trois jours qu'il n'avait mangé. Ensuite il ferma la porte, et s'alla coucher dans le lit de la Mère-grand, en attendant le petit chaperon rouge, qui quelque temps après vint heurter à la porte. Toc, toc. « Qui est là ? » Le petit chaperon rouge, qui entendit la grosse voix du Loup eut peur d'abord, mais croyant que sa Mère-grand était enrhumée, répondit : « C'est votre fille le petit chaperon rouge, qui vous apporte une galette et un petit pot de beurre que ma Mère vous envoie. » Le Loup lui cria en adoucissant un peu sa voix : « Tire la chevillette, la bobinette cherra. » Le

*Le Chaperon rouge fut bien étonné de voir comment
sa grand-mère était faite en son déshabillé*

petit chaperon rouge tira la chevillette, et la porte s'ouvrit. Le Loup, la voyant entrer, lui dit en se cachant dans le lit sous la couverture : « Mets la galette et le petit pot de beurre sur la huche, et viens te coucher avec moi. » Le petit chaperon rouge se déshabille, et va se mettre dans le lit, où elle fut bien étonnée de voir comment sa Mère-grand était faite en son déshabillé. Elle lui dit : « Ma mère-grand, que vous avez de grands bras ! – C'est pour mieux t'embrasser, ma fille. – Ma mère-grand, que vous avez de grandes jambes ! – C'est pour mieux courir, mon enfant. – Ma mère-grand, que vous avez de grandes oreilles ! C'est pour mieux écouter, mon enfant. – Ma grande mère, que vous avez de grands yeux ! – C'est pour mieux voir, mon enfant. Ma mère-grand, que vous avez de grandes dents ! – C'est pour te manger. » Et en disant ces mots, ce méchant Loup se jeta sur le petit chaperon rouge, et la mangea.

## MORALITÉ

*On voit ici que de jeunes enfants,*
*Surtout de jeunes filles*
*Belles, bien faites, et gentilles,*
*Font très mal d'écouter toute sorte de gens,*
*Et que ce n'est pas chose étrange,*
*S'il en est tant que le loup mange.*
*Je dis le loup, car tous les loups*
*Ne sont pas de la même sorte ;*
*Il en est d'une humeur accorte,*

### Le Petit Chaperon rouge

Sans bruit, sans fiel et sans courroux,
Qui privés, complaisants et doux,
Suivent les jeunes Demoiselles
Jusque dans les maisons, jusque dans les ruelles ;
Mais hélas ! qui ne sait que ces Loups douceureux,
De tous les Loups sont les plus dangereux.

Le Petit Chaperon rouge

# LA BARBE BLEUE

Il était une fois un homme qui avait de belles maisons à la Ville et à la Campagne, de la vaisselle d'or et d'argent, des meubles en broderie, et des carrosses tout dorés ; mais par malheur cet homme avait la Barbe bleue : cela le rendait si laid et si terrible, qu'il n'était ni femme ni fille qui ne s'enfuît de devant lui. Une de ses Voisines, Dame de qualité, avait deux filles parfaitement belles. Il lui en demanda une en Mariage, et lui laissa le choix de celle qu'elle voudrait lui donner. Elles n'en voulaient point toutes deux, et se le renvoyaient l'une à l'autre, ne pouvant se résoudre à prendre un homme qui eût la barbe bleue. Ce qui les dégoûtait encore, c'est qu'il avait déjà épousé plusieurs femmes, et qu'on ne savait ce que ces femmes étaient devenues. La Barbe bleue, pour faire connaissance, les mena avec leur Mère, et trois ou quatre de leurs meilleures amies, et quelques jeunes gens du voisinage, à une de ses maisons de Campagne, où on demeura huit jours entiers. Ce n'était que promenades, que parties de chasse et de pêche, que danses et festins, que collations : on ne dormait point, et on passait toute la nuit à se faire des malices les uns aux autres ;

enfin tout alla si bien, que la Cadette commença à trouver que le Maître du logis n'avait plus la barbe si bleue, et que c'était un fort honnête homme. Dès qu'on fut de retour à la Ville, le Mariage se conclut. Au bout d'un mois la Barbe bleue dit à sa femme qu'il était obligé de faire un voyage en Province, de six semaines au moins, pour une affaire de conséquence ; qu'il la priait de se bien divertir pendant son absence, qu'elle fît venir ses bonnes amies, qu'elle les menât à la Campagne si elle voulait, que partout elle fît bonne chère. « Voilà, lui dit-il, les clefs des deux grands garde-meubles, voilà celles de la vaisselle d'or et d'argent qui ne sert pas tous les jours, voilà celles de mes coffres-forts, où est mon or et mon argent, celles des cassettes où sont mes pierreries, et voilà le passe-partout de tous les appartements : Pour cette petite clef-ci, c'est la clef du cabinet au bout de la grande galerie de l'appartement bas : ouvrez tout, allez partout, mais pour ce petit cabinet, je vous défends d'y entrer, et je vous le défends de telle sorte, que s'il vous arrive de l'ouvrir, il n'y a rien que vous ne deviez attendre de ma colère. » Elle promit d'observer exactement tout ce qui lui venait d'être ordonné ; et lui, après l'avoir embrassée, il monte dans son carrosse, et part pour son voyage. Les voisines et les bonnes amies n'attendirent pas qu'on les envoyât quérir pour aller chez la jeune Mariée, tant elles avaient d'impatience de voir toutes les richesses de sa Maison, n'ayant osé y venir pendant que le Mari y était, à cause de sa Barbe bleue qui leur faisait peur. Les voilà aussitôt à

*« S'il vous arrive de l'ouvrir, il n'y a rien que vous ne
deviez attendre de ma colère »*

parcourir les chambres, les cabinets, les gardes-
robes, toutes plus belles et plus riches les unes
que les autres. Elles montèrent ensuite aux
garde-meubles, où elles ne pouvaient assez
admirer le nombre et la beauté des tapisseries,
des lits, des sophas, des cabinets, des guéridons,
des tables et des miroirs, où l'on se voyait
depuis les pieds jusqu'à la tête et dont les bor-
dures, les unes de glace, les autres d'argent et de
vermeil doré, étaient les plus belles et les plus
magnifiques qu'on eût jamais vues. Elles ne
cessaient d'exagérer et d'envier le bonheur de
leur amie, qui cependant ne se divertissait point
à voir toutes ces richesses, à cause de l'impatience qu'elle avait d'aller ouvrir le cabinet de
l'appartement bas. Elle fut si pressée de sa
curiosité, que sans considérer qu'il était malhonnête de quitter sa compagnie, elle y descendit par un petit escalier dérobé, et avec tant
de précipitation, qu'elle pensa se rompre le cou
deux ou trois fois. Étant arrivée à la porte du
cabinet, elle s'y arrêta quelque temps, songeant
à la défense que son Mari lui avait faite, et
considérant qu'il pourrait lui arriver malheur
d'avoir été désobéissante ; mais la tentation était
si forte qu'elle ne put la surmonter : elle prit
donc la petite clef, et ouvrit en tremblant la
porte du cabinet. D'abord elle ne vit rien, parce
que les fenêtres étaient fermées ; après quelques
moments elle commença à voir que le plancher
était tout couvert de sang caillé, et que dans ce
sang se miraient les corps de plusieurs femmes
mortes et attachées le long des murs (c'étaient
toutes les femmes que la Barbe bleue avait

*Les voisines et les amies… tant elles avaient d'impatience
de voir les richesses de sa maison*

épousées et qu'il avait égorgées l'une après l'autre). Elle pensa mourir de peur, et la clef du cabinet qu'elle venait de retirer de la serrure lui tomba de la main. Après avoir un peu repris ses esprits, elle ramassa la clef, referma la porte, et monta à sa chambre pour se remettre un peu ; mais elle n'en pouvait venir à bout, tant elle était émue. Ayant remarqué que la clef du cabinet était tachée de sang, elle l'essuya deux ou trois fois, mais le sang ne s'en allait point ; elle eut beau la laver, et même la frotter avec du sablon et avec du grais, il y demeura toujours du sang, car la clef était Fée, et il n'y avait pas moyen de la nettoyer tout à fait : quand on ôtait le sang d'un côté, il revenait de l'autre. La Barbe bleue revint de son voyage dès le soir même, et dit qu'il avait reçu des Lettres dans le chemin, qui lui avaient appris que l'affaire pour laquelle il était parti venait d'être terminée à son avantage. Sa femme fit tout ce ce qu'elle put pour lui témoigner qu'elle était ravie de son prompt retour. Le lendemain il lui redemanda les clefs, et elle les lui donna, mais d'une main si tremblante, qu'il devina sans peine tout ce qui s'était passé. « D'où vient, lui dit-il, que la clef du cabinet n'est point avec les autres ? – Il faut, dit-elle, que je l'aie laissée là-haut sur ma table. – Ne manquez pas, dit la Barbe bleue, de me la donner tantôt. » Après plusieurs remises, il fallut apporter la clef. La Barbe bleue, l'ayant considérée, dit à sa femme : « Pourquoi y a-t-il du sang sur cette clef ? – Je n'en sais rien, répondit la pauvre femme, plus pâle que la mort. – Vous n'en savez rien, reprit la Barbe

bleue, je le sais bien, moi ; vous avez voulu
entrer dans le cabinet ! Hé bien, Madame, vous
y entrerez, et irez prendre votre place auprès
des Dames que vous y avez vues. » Elle se jeta
aux pieds de son Mari, en pleurant et en lui
demandant pardon, avec toutes les marques
d'un vrai repentir de n'avoir pas été obéissante.
Elle aurait attendri un rocher, belle et affligée
comme elle était ; mais la Barbe bleue avait le
cœur plus dur qu'un rocher. « Il faut mourir,
Madame, lui dit-il, et tout à l'heure. – Puisqu'il
faut mourir, répondit-elle, en le regardant les
yeux baignés de larmes, donnez-moi un peu de
temps pour prier Dieu. – Je vous donne un
quart d'heure, reprit la Barbe bleue, mais pas
un moment davantage. » Lorsqu'elle fut seule,
elle appela sa sœur, et lui dit : « Ma sœur Anne
(car elle s'appelait ainsi), monte, je te prie, sur
le haut de la Tour, pour voir si mes frères ne
viennent point ; ils m'ont promis qu'ils me
viendraient voir aujourd'hui, et si tu les vois,
fais-leur signe de se hâter. » La sœur Anne
monta sur le haut de la Tour, et la pauvre
affligée lui criait de temps en temps : « *Anne, ma
sœur, ne vois-tu rien venir ?* » Et la sœur Anne lui
répondait : « *Je ne vois rien que le Soleil qui poudroie, et l'herbe qui verdoie.* » Cependant la Barbe
bleue, tenant un grand coutelas à sa main, criait
de toute sa force à sa femme : « Descends vite
ou je monterai là-haut. – Encore un moment,
s'il vous plaît », lui répondait sa femme ; et aussitôt elle criait tout bas : « *Anne, ma sœur Anne,
ne vois-tu rien venir ?* » Et la sœur Anne
répondait : « *Je ne vois rien que le Soleil qui*

*« Dieu soit loué !, s'écria-t-elle un moment après, ce sont
mes frères »*

*poudroie, et l'herbe qui verdoie.* » « Descends donc vite, criait la Barbe bleue, ou je monterai là-haut. – Je m'en vais, répondait sa femme », et puis elle criait : « *Anne, ma sœur Anne, ne vois-tu rien venir ?* – Je vois, répondit la sœur Anne, une grosse poussière qui vient de ce côté-ci. – Sont-ce mes frères ? – Hélas ! non, ma sœur, c'est un Troupeau de Moutons. – Ne veux-tu pas descendre ? criait la Barbe bleue. – Encore un moment », répondait sa femme » ; et puis elle criait : « *Anne, ma sœur Anne, ne vois-tu rien venir ?* – Je vois, répondit-elle, deux Cavaliers qui viennent de ce côté-ci, mais ils sont bien loin encore… Dieu soit loué, s'écria-t-elle un moment après, ce sont mes frères, je leur fais signe tant que je puis de se hâter. » La Barbe bleue se mit à crier si fort que toute la maison en trembla. La pauvre femme descendit, et alla se jeter à ses pieds toute éplorée et toute échevelée. « Cela ne sert de rien, dit la Barbe bleue, il faut mourir », puis la prenant d'une main par les cheveux, et de l'autre levant le coutelas en l'air, il allait lui abattre la tête. La pauvre femme se tournant vers lui, et le regardant avec des yeux mourants, le pria de lui donner un petit moment pour se recueillir. « Non, non, dit-il, recommande-toi bien à Dieu » ; et levant son bras… Dans ce moment on heurta si fort à la porte, que la Barbe bleue s'arrêta tout court : on ouvrit, et aussitôt on vit entrer deux Cavaliers, qui mettant l'épée à la main, coururent droit à la Barbe bleue. Il reconnut que c'était les frères de sa femme, l'un Dragon et l'autre Mousquetaire, de sorte qu'il s'enfuit aussitôt pour se sauver ;

*Ils lui passèrent leur épée au travers du corps*

mais les deux frères le poursuivirent de si près, qu'ils l'attrapèrent avant qu'il pût gagner le perron. Ils lui passèrent leur épée au travers du corps, et le laissèrent mort. La pauvre femme était presque aussi morte que son Mari, et n'avait pas la force de se lever pour embrasser ses Frères. Il se trouva que la Barbe bleue n'avait point d'héritiers, et qu'ainsi sa femme demeura maîtresse de tous ses biens. Elle en employa une grande partie à marier sa sœur Anne avec un jeune Gentilhomme, dont elle était aimée depuis longtemps ; une autre partie à acheter des Charges de Capitaine à ses deux frères ; et le reste à se marier elle-même à un fort honnête homme, qui lui fit oublier le mauvais temps qu'elle avait passé avec la Barbe bleue.

## MORALITÉ

*La curiosité malgré tous ses attraits,*
    *Coûte souvent bien des regrets ;*
*On en voit tous les jours mille exemples paraître.*
*C'est, n'en déplaise au sexe, un plaisir bien léger ;*
*Dès qu'on le prend il cesse d'être.*
*Et toujours il coûte trop cher.*

## AUTRE MORALITÉ

    *Pour peu qu'on ait l'esprit sensé,*
*Et que du Monde on sache le grimoire,*
    *On voit bientôt que cette histoire*
    *Est un conte du temps passé ;*

## La Barbe bleue

*Il n'est plus d'Époux si terrible,*
*Ni qui demande l'impossible,*
*Fût-il malcontent et jaloux.*
*Près de sa femme on le voit filer doux ;*
*Et de quelque couleur que sa barbe puisse être,*
*On a peine à juger qui des deux est le maître.*

*« Au secours ! au secours ! voilà Monsieur le marquis
de Carabas qui se noie »*

# LE MAÎTRE CHAT
## OU LE CHAT BOTTÉ

*Conte*

Un Meunier ne laissa pour tous biens à trois
enfants qu'il avait, que son Moulin, son Âne, et
son Chat. Les partages furent bientôt faits, ni le
Notaire, ni le Procureur n'y furent point appe-
lés. Ils auraient eu bientôt mangé tout le pauvre
patrimoine. L'aîné eut le Moulin, le second eut
l'Âne, et le plus jeune n'eut que le Chat. Ce dernier ne pouvait se consoler d'avoir un si pauvre
lot : « Mes frères, disait-il, pourront gagner leur
vie honnêtement en se mettant ensemble ; pour
moi, lorsque j'aurai mangé mon chat, et que je
me serai fait un manchon de sa peau, il faudra
que je meure de faim. » Le Chat qui entendait
ce discours, mais qui n'en fit pas semblant, lui
dit d'un air posé et sérieux : « Ne vous affligez
point, mon maître, vous n'avez qu'à me donner
un Sac, et me faire faire une paire de Bottes
pour aller dans les broussailles, et vous verrez
que vous n'êtes pas si mal partagé que vous
croyez. » Quoique le Maître du chat ne fît pas
grand fond là-dessus, il lui avait vu faire tant de
tours de souplesse, pour prendre des Rats et

des Souris, comme quand il se pendait par les pieds, ou qu'il se cachait dans la farine pour faire le mort, qu'il ne désespéra pas d'en être secouru dans sa misère. Lorsque le chat eut ce qu'il avait demandé, il se botta bravement, et mettant son sac à son cou, il en prit les cordons avec ses deux pattes de devant, et s'en alla dans une garenne où il y avait grand nombre de lapins. Il mit du son et des lasserons dans son sac, et s'étendant comme s'il eût été mort, il attendit que quelque jeune lapin, peu instruit encore des ruses de ce monde, vînt se fourrer dans son sac pour manger ce qu'il y avait mis. À peine fut-il couché, qu'il eut contentement ; un jeune étourdi de lapin entra dans son sac, et le maître chat tirant aussitôt les cordons le prit et le tua sans miséricorde. Tout glorieux de sa proie, il s'en alla chez le Roi et demanda à lui parler. On le fit monter à l'Appartement de sa Majesté, où étant entré il fit une grande révérence au Roi, et lui dit : « Voilà, Sire, un Lapin de Garenne que Monsieur le Marquis de Carabas (c'était le nom qu'il lui prit en gré de donner à son Maître), m'a chargé de vous présenter de sa part. Dis à ton Maître, répondit le Roi, que je le remercie, et qu'il me fait plaisir. » Une autre fois, il alla se cacher dans un blé, tenant toujours son sac ouvert ; et lorsque deux Perdrix y furent entrées, il tira les cordons, et les prit toutes deux. Il alla ensuite les présenter au Roi, comme il avait fait le Lapin de garenne. Le Roi reçut encore avec plaisir les deux Perdrix, et lui fit donner pour boire. Le chat continua ainsi pendant deux ou trois mois à porter de temps en temps au Roi du Gibier de la chasse de son Maître. Un jour qu'il sut que le Roi devait aller à la promenade sur le bord de la rivière avec sa fille, la plus belle Princesse du monde, il dit à son Maître : « Si vous voulez suivre mon conseil, votre fortune est faite : vous n'avez qu'à vous baigner dans la rivière à l'endroit que je vous montrerai, et ensuite me laisser faire. » Le Marquis de Carabas fit ce que son chat lui conseillait, sans savoir à quoi cela serait bon. Dans le temps qu'il se baignait, le Roi vint à passer, et le Chat se mit à crier de toute sa force : « Au secours, au secours, voilà Monsieur le Marquis de Carabas qui se noie ! » À ce cri le Roi mit la tête à la portière, et reconnaissant le Chat qui lui avait apporté tant de fois du Gibier, il ordonna à ses Gardes qu'on allât vite au secours de Monsieur le Marquis de Carabas. Pendant qu'on retirait le pauvre Marquis de la rivière, le Chat s'approcha du Carrosse, et dit au Roi que dans le temps que son Maître se baignait, il était venu des Voleurs qui avaient emporté ses habits, quoiqu'il eût crié au voleur de toute sa force ; le drôle les avait cachés sous une grosse pierre. Le Roi ordonna aussitôt aux Officiers de sa Garderobe d'aller quérir un de ses plus beaux habits pour Monsieur le Marquis de Carabas. Le Roi lui fit mille caresses, et comme les beaux habits qu'on venait de lui donner relevaient sa bonne mine (car il était beau, et bien fait de sa personne), la fille du Roi le trouva fort à son gré et le Comte de Carabas ne lui eut pas jeté deux ou trois regards fort respectueux, et un peu ten-

dres, qu'elle en devint amoureuse à la folie. Le
Roi voulut qu'il montât dans son Carosse, et
qu'il fût de la promenade. Le Chat ravi de voir
que son dessein commençait à réussir, prit les
devants, et ayant rencontré des Paysans qui
fauchaient un Pré, il leur dit : « *Bonnes gens qui
fauchez, si vous ne dites au Roi que le pré que vous
fauchez appartient à Monsieur le Marquis
de Carabas, vous serez tous hachés menu comme
chair à pâté.* » Le Roi ne manqua pas à demander aux Faucheux à qui était ce Pré qu'ils fauchaient. « C'est à Monsieur le Marquis de Carabas », dirent-ils tous ensemble car la menace du
Chat leur avait fait peur. « Vous avez là un
bel héritage, dit le Roi au Marquis de Carabas.
– Vous voyez, Sire, répondit le Marquis, c'est
un pré qui ne manque point de rapporter abon-
damment toutes les années. » Le maître chat,
qui allait toujours devant, rencontra des Moissonneurs, et leur dit : « *Bonnes gens qui moissonnez, si vous ne dites que tous ces blés appartiennent à Monsieur le Marquis de Carabas, vous
serez tous hachés menu comme chair à pâté.* » Le
Roi, qui passa un moment après, voulut savoir
à qui appartenaient tous les blés qu'il voyait.
« C'est à Monsieur le Marquis de Carabas »,
répondirent les Moissonneurs, et le Roi s'en
réjouit encore avec le Marquis. Le Chat, qui
allait devant le Carrosse, disait toujours la
même chose à tous ceux qu'il rencontrait ; et le
Roi était étonné des grands biens de Monsieur
le Marquis de Carabas. Le maître Chat arriva
enfin dans un beau Château dont le Maître était
un Ogre, le plus riche qu'on ait jamais vu, car

*« Bonnes gens qui moissonnez, si vous ne dites que tous ces blés appartiennent à Monsieur le marquis de Carabas, vous serez tous hachés menu comme chair à pâté »*

toutes les terres par où le Roi avait passé étaient de la dépendance de ce Château. Le Chat, qui eut soin de s'informer qui était cet Ogre, et ce qu'il savait faire, demanda à lui parler, disant qu'il n'avait pas voulu passer si près de son Château, sans avoir l'honneur de lui faire la révérence. L'Ogre le reçut aussi civilement que le peut un Ogre, et le fit reposer. « On m'a assuré, dit le Chat, que vous aviez le don de vous changer en toute sorte d'Animaux, que vous pouviez par exemple, vous transformer en Lion, en Éléphant ? – Cela est vrai, répondit l'Ogre brusquement, et pour vous le montrer, vous m'allez voir devenir Lion. » Le Chat fut si effrayé de voir un Lion devant lui, qu'il gagna aussitôt les gouttières, non sans peine et sans péril, à cause de ses bottes qui ne valaient rien pour marcher sur les tuiles. Quelque temps après, le Chat, ayant vu que l'Ogre avait quitté sa première forme, descendit, et avoua qu'il avait eu bien peur. « On m'a assuré encore, dit le Chat, mais je ne saurais le croire, que vous aviez aussi le pouvoir de prendre la forme des plus petits Animaux, par exemple, de vous changer en un Rat, en une souris ; je vous avoue que je tiens cela tout à fait impossible. – Impossible ? reprit l'Ogre, vous allez voir », et en même temps il se changea en une Souris, qui se mit à courir sur le plancher. Le Chat ne l'eut pas plus tôt aperçue qu'il se jeta dessus, et la mangea. Cependant le Roi, qui vit en passant le beau Château de l'Ogre, voulut entrer dedans. Le Chat, qui entendit le bruit du Carrosse qui passait sur le pont-levis, courut au-devant, et dit au Roi : « Votre Majesté soit la bienvenue dans ce Château de Monsieur le Marquis de Carabas. – Comment, Monsieur le Marquis, s'écria le Roi, ce Château est encore à vous ! il ne se peut rien de plus beau que cette cour et que tous ces Bâtiments qui l'environnent ; voyons les dedans, s'il vous plaît. » Le Marquis donna la main à la jeune Princesse, et suivant le Roi qui montait le premier, ils entrèrent dans une grande Salle où ils trouvèrent une magnifique collation que l'ogre avait fait préparer pour ses amis qui le devaient venir voir ce même jour-là, mais qui n'avaient pas osé entrer, sachant que le Roi y était. Le Roi charmé des bonnes qualités de Monsieur le Marquis de Carabas, de même que sa fille qui en était folle, et voyant les grands biens qu'il possédait, lui dit, après avoir bu cinq ou six coups : « Il ne tiendra qu'à vous, Monsieur le Marquis, que vous ne soyez mon gendre. » Le Marquis, faisant de grandes révérences, accepta l'honneur que lui faisait le Roi ; et dès le même jour épousa la Princesse. Le Chat devint grand Seigneur, et ne courut plus après les souris, que pour se divertir.

## MORALITÉ

*Quelque grand que soit l'avantage*
*De jouir d'un riche héritage*
*Venant à nous de père en fils,*
*Aux jeunes gens pour l'ordinaire,*
*L'industrie et le savoir faire*
*Valent mieux que des biens acquis.*

*L'Ogre le reçut aussi civilement que le peut un ogre*

## AUTRE MORALITÉ

Si le fils d'un Meunier, avec tant de vitesse,
    Gagne le cœur d'une Princesse,
Et s'en fait regarder avec des yeux mourants,
    C'est que l'habit, la mine et la jeunesse,
    Pour inspirer de la tendresse,
N'en sont pas des moyens toujours indifférents.

# LES FÉES

*Conte*

Il était une fois une veuve qui avait deux filles ; l'aînée lui ressemblait si fort et d'humeur et de visage, que qui la voyait voyait la mère. Elles étaient toutes deux si désagréables et si orgueilleuses qu'on ne pouvait vivre avec elles. La cadette, qui était le vrai portrait de son Père pour la douceur et pour l'honnêteté, était avec cela une des plus belles filles qu'on eût su voir. Comme on aime naturellement son semblable, cette mère était folle de sa fille aînée, et en même temps avait une aversion effroyable pour la cadette. Elle la faisait manger à la Cuisine et travailler sans cesse.

Il fallait entre autres choses que cette pauvre enfant allât deux fois le jour puiser de l'eau à une grande demi-lieue du logis, et qu'elle en rapportât plein une grande cruche. Un jour qu'elle était à cette fontaine, il vint à elle une pauvre femme qui la pria de lui donner à boire. « Oui-dà, ma bonne mère », dit cette belle fille ; et rinçant aussitôt sa cruche, elle puisa de l'eau au plus bel endroit de la fontaine, et la lui présenta, soutenant toujours la cruche afin qu'elle

*Un jour qu'elle était à cette fontaine, il vint à elle
une pauvre femme qui la pria de lui donner à boire*

bût plus aisément. La bonne femme, ayant bu, lui dit : « Vous êtes si belle, si bonne, et si honnête, que je ne puis m'empêcher de vous faire un don (car c'était une Fée qui avait pris la forme d'une pauvre femme de village, pour voir jusqu'où irait l'honnêteté de cette jeune fille). Je vous donne pour don, poursuivit la Fée, qu'à chaque parole que vous direz, il vous sortira de la bouche ou une Fleur, ou une Pierre précieuse. » Lorsque cette belle fille arriva au logis, sa mère la gronda de revenir si tard de la fontaine. Je vous demande pardon, ma mère, dit cette pauvre fille, d'avoir tardé si longtemps ; et en disant ces mots, il lui sortit de la bouche deux Roses, deux Perles, et deux gros Diamants. « Que vois-je là ! dit sa mère tout étonnée ; je crois qu'il lui sort de la bouche des Perles et des Diamants ; d'où vient cela, ma fille ? » (ce fut là la première fois qu'elle l'appela sa fille). La pauvre enfant lui raconta naïvement tout ce qui lui était arrivé, non sans jeter une infinité de Diamants. « Vraiment, dit la mère, il faut que j'y envoie ma fille ; tenez, Fanchon, voyez ce qui sort de la bouche de votre sœur quand elle parle ; ne seriez-vous pas bien aise d'avoir le même don ? Vous n'avez qu'à aller puiser de l'eau à la fontaine, et quand une pauvre femme vous demandera à boire, lui en donner bien honnêtement. – Il me ferait beau voir, répondit la brutale, aller à la fontaine. – Je veux que vous y alliez, reprit la mère, et tout à l'heure. » Elle y alla, mais toujours en grondant. Elle prit le plus beau Flacon d'argent qui fût dans le logis. Elle ne fut pas plus tôt arrivée à la fontaine qu'elle vit sortir du bois une Dame magnifiquement vêtue qui vint lui demander à boire : c'était la même Fée qui avait apparu à sa sœur, mais qui avait pris l'air et les habits d'une Princesse, pour voir jusqu'où irait la malhonnêteté de cette fille. « Est-ce que je suis ici venue, lui dit cette brutale orgueilleuse, pour vous donner à boire ? Justement j'ai apporté un Flacon d'argent tout exprès pour donner à boire à Madame ! J'en suis d'avis, buvez à même si vous voulez. – Vous n'êtes guère honnête, reprit la Fée, sans se mettre en colère ; hé bien ! puisque vous êtes si peu obligeante, je vous donne pour don qu'à chaque parole que vous direz, il vous sortira de la bouche ou un serpent ou un crapaud. » D'abord que sa mère l'aperçut, elle lui cria : « Hé bien, ma fille ! – Hé bien, ma mère ! lui répondit la brutale, en jetant deux vipères, et deux crapauds. – Ô Ciel ! s'écria la mère, que vois-je là ? C'est sa sœur qui en est cause, elle me le paiera » ; et aussitôt elle courut pour la battre. La pauvre enfant s'enfuit, et alla se sauver dans la Forêt prochaine. Le fils du Roi qui revenait de la chasse la rencontra et la voyant si belle, lui demanda ce qu'elle faisait là toute seule et ce qu'elle avait à pleurer. « Hélas ! Monsieur, c'est ma mère qui m'a chassée du logis. » Le fils du Roi, qui vit sortir de sa bouche cinq ou six Perles, et autant de Diamants, la pria de lui dire d'où cela lui venait. Elle lui conta toute son aventure. Le fils du Roi en devint amoureux, et considérant qu'un tel don valait mieux que tout ce qu'on pouvait donner en mariage à un autre, l'emmena au

*Le fils du roi, qui revenait de la chasse, la rencontra,*
*et lui demanda ce qu'elle faisait là toute seule,*
*et ce qu'elle avait à pleurer*

Palais du Roi son père où il l'épousa. Pour sa sœur, elle se fit tant haïr, que sa propre mère la chassa de chez elle ; et la malheureuse, après avoir bien couru sans trouver personne qui voulût la recevoir, alla mourir au coin d'un bois.

## MORALITÉ

*Les Diamants et les Pistoles,*
*Peuvent beaucoup sur les Esprits ;*
*Cependant les douces paroles*
*Ont encor plus de force, et sont d'un plus grand prix.*

## AUTRE MORALITÉ

*L'honnêteté coûte des soins,*
*Et veut un peu de complaisance,*
*Mais tôt ou tard elle a sa récompense,*
*Et souvent dans le temps qu'on y pense le moins.*

# CENDRILLON
## OU
## LA PETITE PANTOUFLE DE VERRE

*Conte*

Il était une fois un Gentilhomme qui épousa en secondes noces une femme, la plus hautaine et la plus fière qu'on eût jamais vue. Elle avait deux filles de son humeur, et qui lui ressemblaient en toutes choses. Le Mari avait de son côté une jeune fille, mais d'une douceur et d'une bonté sans exemple ; elle tenait cela de sa Mère, qui était la meilleure personne du monde. Les noces ne furent pas plus tôt faites, que la Belle-mère fit éclater sa mauvaise humeur ; elle ne put souffrir les bonnes qualités de cette jeune enfant, qui rendaient ses filles encore plus haïssables. Elle la chargea des plus viles occupations de la Maison : c'était elle qui nettoyait la vaisselle et les montées, qui frottait la chambre de Madame, et celles de Mesdemoiselles ses filles ; elle couchait tout au haut de la maison, dans un grenier, sur une méchante paillasse, pendant que ses sœurs étaient dans des chambres parquetées, où elles avaient des lits des plus à la mode, et des miroirs où elles se voyaient depuis les pieds jusqu'à la tête. La pauvre fille souffrait tout avec patience, et n'osait s'en plaindre à son père qui l'aurait grondée, parce que sa femme le gouvernait entièrement. Lorsqu'elle avait fait son ouvrage, elle s'allait mettre au coin de la cheminée, et s'asseoir dans les cendres, ce qui faisait qu'on l'appelait communément dans le logis Cucendron. La cadette, qui n'était pas si malhonnête que son aînée, l'appelait Cendrillon ; cependant Cendrillon, avec ses méchants habits, ne laissait pas d'être cent fois plus belle que ses sœurs, quoique vêtues très magnifiquement.

Il arriva que le fils du Roi donna un Bal, et qu'il en pria toutes les personnes de qualité : nos deux Demoiselles en furent aussi priées, car elles faisaient grande figure dans le Pays. Les voilà bien aises et bien occupées à choisir les habits et les coiffures qui leur siéraient le mieux ; nouvelle peine pour Cendrillon, car c'était elle qui repassait le linge de ses sœurs et qui godronnait leurs manchettes. On ne parlait que de la manière dont on s'habillerait. « Moi, dit l'aînée, je mettrai mon habit de velours rouge et ma garniture d'Angleterre. — Moi, dit la cadette, je n'aurai que ma jupe ordinaire ; mais en récompense, je mettrai mon manteau à fleurs d'or, et ma barrière de diamants, qui n'est pas des plus indifférentes. » On envoya quérir la bonne coiffeuse, pour dresser les cornettes à deux rangs, et on fit acheter des mouches de la bonne faiseuse : elles appelèrent Cendrillon pour lui demander son avis, car elle avait le goût bon. Cendrillon les conseilla le mieux du monde, et s'offrit même à les coiffer ; ce qu'elles voulurent bien. En les coiffant, elles lui disaient :

« Cendrillon, serais-tu bien aise d'aller au Bal ?
– Hélas, Mesdemoiselles, vous vous moquez de
moi, ce n'est pas là ce qu'il me faut. – Tu as
raison, on rirait bien si on voyait un Cucendron
aller au Bal. » Une autre que Cendrillon les
aurait coiffées de travers ; mais elle était bonne,
et elle les coiffa parfaitement bien. Elles furent
transportées de joie. On rompit plus de douze
lacets à force de les serrer pour leur rendre la
taille plus menue, et elles étaient toujours
devant leur miroir. Enfin l'heureux jour arriva,
on partit, et Cendrillon les suivit des yeux le
plus longtemps qu'elle put ; lorsqu'elle ne les vit
plus, elle se mit à pleurer. Sa Marraine qui la vit
toute en pleurs, lui demanda ce qu'elle avait.
« Je voudrais bien… je voudrais bien… » Elle
pleurait si fort qu'elle ne put achever. Sa Marraine, qui était Fée, lui dit : « Tu voudrais bien
aller au Bal, n'est-ce pas ? – Hélas oui, dit Cendrillon en soupirant. – Hé bien, seras-tu bonne
fille ? dit sa Marraine, je t'y ferai aller. » Elle la
mena dans sa chambre, et lui dit : « Va dans le
jardin et apporte-moi une citrouille. » Cendrillon alla aussitôt cueillir la plus belle qu'elle
put trouver, et la porta à sa Marraine, ne pouvant deviner comment cette citrouille la pourrait faire aller au Bal. Sa Marraine la creusa, et
n'ayant laissé que l'écorce, la frappa de sa
baguette, et la citrouille fut aussitôt changée en
un beau carrosse tout doré. Ensuite elle alla
regarder dans sa souricière, où elle trouva six
souris toutes en vie ; elle dit à Cendrillon de
lever un peu la trappe de la souricière, et à
chaque souris qui sortait, elle lui donnait un

*Ne pouvant deviner comment cette citrouille pourrait
la faire aller au bal*

coup de baguette, et la souris était aussitôt
changée en un beau cheval ; ce qui fit un bel
attelage de six chevaux, d'un beau gris de souris
pommelé. Comme elle était en peine de quoi
elle ferait un Cocher : « Je vais voir, dit Cendrillon, s'il n'y a point quelque rat dans la
ratière, nous en ferons un Cocher. – Tu as
raison, dit sa Marraine, va voir. » Cendrillon lui
apporta la ratière, où il y avait trois gros rats. La
Fée en prit un d'entre les trois, à cause de sa
maîtresse barbe, et l'ayant touché, il fut changé
en un gros Cocher, qui avait une des plus belles
moustaches qu'on ait jamais vues. Ensuite elle
lui dit : « Va dans le jardin, tu y trouveras six
lézards derrière l'arrosoir, apporte-les-moi. »
Elle ne les eut pas plus tôt apportés que la Marraine les changea en six Laquais, qui montèrent
aussitôt derrière le carrosse avec leurs habits
chamarrés, et qui s'y tenaient attachés, comme
s'ils n'eussent fait autre chose toute leur vie. La
Fée dit alors à Cendrillon : « Hé bien, voilà de
quoi aller au Bal, n'es-tu pas bien aise ? – Oui,
mais est-ce que j'irai comme cela avec mes
vilains habits ? » Sa Marraine ne fit que la toucher avec sa baguette, et en même temps ses
habits furent changés en des habits de drap d'or
et d'argent tout chamarrés de pierreries ; elle lui
donna ensuite une paire de pantoufles de verre,
les plus jolies du monde. Quand elle fut ainsi
parée, elle monta en carrosse ; mais sa Marraine
lui recommanda sur toutes choses de ne pas
passer minuit, l'avertissant que si elle demeurait
au Bal un moment davantage, son carrosse
redeviendrait citrouille, ses chevaux des souris,

ses laquais des lézards, et que ses vieux habits
reprendraient leur première forme. Elle promit
à sa Marraine qu'elle ne manquerait pas de
sortir du Bal avant minuit. Elle part, ne se sen-
tant pas de joie. Le Fils du Roi, qu'on alla
avertir qu'il venait d'arriver une grande Princesse qu'on ne connaissait point, courut la
recevoir ; il lui donna la main à la descente du
carrosse, et la mena dans la salle où était la
compagnie. Il se fit alors un grand silence ; on
cessa de danser et les violons ne jouèrent plus,
tant on était attentif à contempler les grandes
beautés de cette inconnue. On n'entendait
qu'un bruit confus : « Ah, qu'elle est belle ! » Le
Roi même, tout vieux qu'il était, ne laissait pas
de la regarder, et de dire tout bas à la Reine
qu'il y avait longtemps qu'il n'avait vu une si
belle et si aimable personne. Toutes les Dames
étaient attentives à considérer sa coiffure et ses
habits, pour en avoir dès le lendemain de semblables, pourvu qu'il se trouvât des étoffes assez
belles, et des ouvriers assez habiles. Le Fils du
Roi la mit à la place la plus honorable, et ensuite
la prit pour la mener danser. Elle dansa avec
tant de grâce, qu'on l'admira encore davantage.
On apporta une fort belle collation, dont le
jeune Prince ne mangea point, tant il était
occupé à la considérer. Elle alla s'asseoir auprès
de ses sœurs, et leur fit mille honnêtetés : elle
leur fit part des oranges et des citrons que le
Prince lui avait donnés, ce qui les étonna fort,
car elles ne la connaissaient point. Lorsqu'elles
causaient ainsi, Cendrillon entendit sonner
onze heures trois quarts : elle fit aussitôt une

grande révérence à la compagnie, et s'en alla le plus vite qu'elle put. Dès qu'elle fut arrivée, elle alla trouver sa Marraine, et après l'avoir remerciée, elle lui dit qu'elle souhaiterait bien aller encore le lendemain au Bal, parce que le Fils du Roi l'en avait priée. Comme elle était occupée à raconter à sa Marraine tout ce qui s'était passé au Bal, les deux sœurs heurtèrent à la porte ; Cendrillon leur alla ouvrir. « Que vous êtes longtemps à revenir ! » leur dit-elle en bâillant, et se frottant les yeux, et en s'étendant comme si elle n'eût fait que de se réveiller ; elle n'avait cependant pas eu envie de dormir depuis qu'elles s'étaient quittées. « Si tu étais venue au Bal, lui dit une de ses sœurs, tu ne t'y serais pas ennuyée : il y est venu la plus belle Princesse, la plus belle qu'on puisse jamais voir, elle nous a fait mille civilités, elle nous a donné des oranges et des citrons. » Cendrillon ne se sentait pas de joie : elle leur demanda le nom de cette Princesse ; mais elles lui répondirent qu'on ne la connaissait pas, que le Fils du Roi en était fort en peine, et qu'il donnerait toutes choses au monde pour savoir qui elle était. Cendrillon sourit et leur dit : « Elle était donc bien belle ? Mon Dieu, que vous êtes heureuses, ne pourrais-je point la voir ? Hélas ! Mademoiselle Javotte, prêtez-moi votre habit jaune que vous mettez tous les jours. – Vraiment, dit Mademoiselle Javotte, je suis de cet avis, prêtez votre habit à un vilain Cucendron comme cela : il faudrait que je fusse bien folle. » Cendrillon s'attendait bien à ce refus, et elle en fut bien aise, car elle aurait été grandement embarrassée si sa sœur eût bien voulu lui prêter son habit. Le lendemain les deux sœurs furent au Bal, et Cendrillon aussi, mais encore plus parée que la première fois. Le Fils du Roi fut toujours auprès d'elle, et ne cessa de lui conter des douceurs ; la jeune Demoiselle ne s'ennuyait point, et oublia ce que sa Marraine lui avait recommandé, de sorte qu'elle entendit sonner le premier coup de minuit, lorsqu'elle ne croyait pas qu'il fût encore onze heures : elle se leva et s'enfuit aussi légèrement qu'aurait fait une biche : le Prince la suivit, mais il ne put l'attraper ; elle laissa tomber une de ses pantoufles de verre, que le Prince ramassa bien soigneusement. Cendrillon arriva chez elle bien essoufflée, sans carrosse, sans laquais, et avec ses méchants habits, rien ne lui étant resté de toute sa magnificence qu'une de ses petites pantoufles, la pareille de celle qu'elle avait laissé tomber. On demanda aux Gardes de la porte du Palais s'ils n'avaient point vu sortir une Princesse ; ils dirent qu'ils n'avaient vu sortir personne, qu'une jeune fille fort mal vêtue, et qui avait plus l'air d'une Paysanne que d'une Demoiselle. Quand ses deux sœurs revinrent du Bal, Cendrillon leur demanda si elles s'étaient encore bien diverties, et si la belle Dame y avait été ; elles lui dirent que oui, mais qu'elle s'était enfuie lorsque minuit avait sonné, et si promptement qu'elle avait laissé tomber une de ses petites pantoufles de verre, la plus jolie du monde ; que le fils du Roi l'avait ramassée, et qu'il n'avait fait que la regarder pendant tout le reste du Bal, et qu'assurément il était fort amoureux de la belle personne à qui appartenait la petite pantoufle. Elles dirent vrai, car peu de jours après, le fils du Roi fit publier à son de trompe qu'il épouserait celle dont le pied serait bien juste à la pantoufle. On commença à l'essayer aux Princesses, ensuite aux Duchesses, et à toute la Cour, mais inutilement. On l'apporta chez les deux sœurs, qui firent tout leur possible pour faire entrer leur pied dans la pantoufle, mais elles ne purent en venir à bout. Cendrillon qui les regardait, et qui reconnut sa pantoufle, dit en riant : « Que je voie si elle ne me serait pas bonne ! » Ses sœurs se mirent à rire et à se moquer d'elle. Le Gentilhomme qui faisait l'essai de la pantoufle, ayant regardé attentivement Cendrillon, et la trouvant fort belle, dit que cela était juste, et qu'il avait ordre de l'essayer à toutes les filles. Il fit asseoir Cendrillon, et approchant la pantoufle de son petit pied, il vit qu'elle y entrait sans peine, et qu'elle y était juste comme de cire. L'étonnement des deux sœurs fut grand, mais plus grand encore quand Cendrillon tira de sa poche l'autre petite pantoufle qu'elle mit à son pied. Là-dessus arriva la Marraine, qui ayant donné un coup de sa baguette sur les habits de Cendrillon, les fit devenir encore plus magnifiques que tous les autres.

Alors ses deux sœurs la reconnurent pour la belle personne qu'elles avaient vue au Bal. Elles se jetèrent à ses pieds pour lui demander pardon de tous les mauvais traitements qu'elles lui avaient fait souffrir. Cendrillon les releva, et leur dit, en les embrassant, qu'elle leur pardonnait de bon cœur, et qu'elle les priait de l'aimer

*Approchant la pantoufle de son petit pied, il vit qu'elle y entrait sans peine et qu'elle lui était juste comme de cire*

bien toujours. On la mena chez le jeune Prince, parée comme elle l'était : il la trouva encore plus belle que jamais, et peu de jours après, il l'épousa. Cendrillon qui était aussi bonne que belle, fit loger ses deux sœurs au Palais, et les maria dès le jour même à deux grands Seigneurs de la Cour.

## MORALITÉ

*La beauté pour le sexe est un rare trésor,*
*　　De l'admirer jamais on ne se lasse ;*
*　　　　Mais ce qu'on nomme bonne grâce*
*　　　　Est sans prix, et vaut mieux encor.*

*C'est ce qu'à Cendrillon fit savoir sa Marraine,*
*　　　　En la dressant, en l'instruisant,*
*　　Tant et si bien qu'elle en fit une Reine :*
*(Car ainsi sur ce Conte on va moralisant.)*

*Belles, ce don vaut mieux que d'être bien coiffées,*
*Pour engager un cœur, pour en venir à bout,*
*　　La bonne grâce est le vrai don des Fées ;*
*Sans elle on ne peut rien, avec elle, on peut tout.*

## AUTRE MORALITÉ

*　　C'est sans doute un grand avantage,*
*　　D'avoir de l'esprit, du courage,*
*　　De la naissance, du bon sens,*
*　　Et d'autres semblables talents,*
*　　Qu'on reçoit du Ciel en partage ;*

*Mais vous aurez beau les avoir,*
*Pour votre avancement ce seront choses vaines,*
*Si vous n'avez, pour les faire valoir,*
*Ou des parrains ou des marraines.*

# RIQUET À LA HOUPPE

*Conte*

Il était une fois une Reine qui accoucha d'un fils, si laid et si mal fait, qu'on douta longtemps s'il avait forme humaine. Une Fée qui se trouva à sa naissance assura qu'il ne laisserait pas d'être aimable, parce qu'il aurait beaucoup d'esprit ; elle ajouta même qu'il pourrait, en vertu du don qu'elle venait de lui faire, donner autant d'esprit qu'il en aurait à la personne qu'il aimerait le mieux. Tout cela consola un peu la pauvre Reine, qui était bien affligée d'avoir mis au monde un si vilain marmot. Il est vrai que cet enfant ne commença pas plus tôt à parler qu'il dit mille jolies choses, et qu'il avait dans toutes ses actions je ne sais quoi de si spirituel, qu'on en était charmé. J'oubliais de dire qu'il vint au monde avec une petite houppe de cheveux sur la tête, ce qui fit qu'on le nomma Riquet à la Houppe, car Riquet était le nom de la famille.

Au bout de sept ou huit ans la Reine d'un Royaume voisin accoucha de deux filles. La première qui vint au monde était plus belle que le jour : la Reine en fut si aise, qu'on appréhenda que la trop grande joie qu'elle en avait ne lui fît mal. La même Fée qui avait assisté à la naissance du petit Riquet à la Houppe était présente, et pour modérer la joie de la Reine, elle lui déclara que cette petite Princesse n'aurait point d'esprit, et qu'elle serait aussi stupide qu'elle était belle. Cela mortifia beaucoup la Reine ; mais elle eut quelques moments après un bien plus grand chagrin, car la seconde fille dont elle accoucha se trouva extrêmement laide. « Ne vous affligez point tant, Madame, lui dit la Fée ; votre fille sera récompensée d'ailleurs, et elle aura tant d'esprit, qu'on ne s'apercevra presque pas qu'il lui manque de la beauté. – Dieu le veuille, répondit la Reine ; mais n'y aurait-il point moyen de faire avoir un peu d'esprit à l'aînée qui est si belle ? – Je ne puis rien pour elle, Madame, du côté de l'esprit, lui dit la Fée, mais je puis tout du côté de la beauté ; et comme il n'y a rien que je ne veuille faire pour votre satisfaction, je vais lui donner pour don de pouvoir rendre beau ou belle la personne qui lui plaira. » À mesure que ces deux Princesses devinrent grandes, leurs perfections crûrent aussi avec elles, et on ne parlait partout que de la beauté de l'aînée, et de l'esprit de la cadette. Il est vrai aussi que leurs défauts augmentèrent beaucoup avec l'âge. La cadette enlaidissait à vue d'œil, et l'aînée devenait plus stupide de jour en jour. Ou elle ne répondait rien à ce qu'on lui demandait, ou elle disait une sottise. Elle était avec cela si maladroite qu'elle n'eût pu ranger quatre Porcelaines sur le bord d'une cheminée sans en casser une, ni boire un verre d'eau sans en répandre la moitié sur ses

habits. Quoique la beauté soit un grand avantage dans une jeune personne, cependant la
cadette l'emportait presque toujours sur son
aînée dans toutes les Compagnies. D'abord on
allait du côté de la plus belle pour la voir et pour
l'admirer, mais bientôt après, on allait à celle
qui avait le plus d'esprit, pour lui entendre dire
mille choses agréables ; et on était étonné qu'en
moins d'un quart d'heure l'aînée n'avait plus
personne auprès d'elle, et que tout le monde
s'était rangé autour de la cadette. L'aînée,
quoique fort stupide, le remarqua bien, et elle
eût donné sans regret toute sa beauté pour avoir
la moitié de l'esprit de sa sœur. La Reine, toute
sage qu'elle était, ne put s'empêcher de lui
reprocher plusieurs fois sa bêtise, ce qui pensa
faire mourir de douleur cette pauvre Princesse.
Un jour qu'elle s'était retirée dans un bois pour
y plaindre son malheur, elle vit venir à elle un
petit homme fort laid et fort désagréable, mais
vêtu très magnifiquement. C'était le jeune Prince
Riquet à la Houppe, qui étant devenu amoureux d'elle sur ses Portraits qui couraient par
tout le monde, avait quitté le Royaume de son
père pour avoir le plaisir de la voir et de lui
parler. Ravi de la rencontrer ainsi toute seule, il
l'aborde avec tout le respect et toute la politesse
imaginable. Ayant remarqué, après lui avoir fait
les compliments ordinaires, qu'elle était fort
mélancolique, il lui dit : « Je ne comprends point,
Madame, comment une personne aussi belle
que vous l'êtes peut être aussi triste que vous le
paraissez ; car, quoique je puisse me vanter
d'avoir vu une infinité de belles personnes, je

puis dire que je n'en ai jamais vu dont la beauté approche de la vôtre. – Cela vous plaît à dire, Monsieur », lui répondit la Princesse, et en demeure là. « La beauté, reprit Riquet à la Houppe, est un si grand avantage qu'il doit tenir lieu de tout le reste ; et quand on le possède, je ne vois pas qu'il y ait rien qui puisse nous affliger beaucoup. – J'aimerais mieux, dit la Princesse, être aussi laide que vous et avoir de l'esprit, que d'avoir de la beauté comme j'en ai, et être bête autant que je le suis. – Il n'y a rien, Madame, qui marque davantage qu'on a de l'esprit, que de croire n'en pas avoir, et il est de la nature de ce bien-là, que plus on en a, plus on croit en manquer. – Je ne sais pas cela, dit la Princesse, mais je sais bien que je suis fort bête, et c'est de là que vient le chagrin qui me tue. – Si ce n'est que cela, Madame, qui vous afflige, je puis aisément mettre fin à votre douleur. – Et comment ferez-vous ? dit la Princesse. – J'ai le pouvoir, Madame, dit Riquet à la Houppe, de donner de l'esprit autant qu'on en saurait avoir à la personne que je dois aimer le plus, et comme vous êtes, Madame, cette personne, il ne tiendra qu'à vous que vous n'ayez autant d'esprit qu'on en peut avoir, pourvu que vous vouliez bien m'épouser. » La Princesse demeura tout interdite, et ne répondit rien. « Je vois, reprit Riquet à la Houppe, que cette proposition vous fait de la peine, et je ne m'en étonne pas ; mais je vous donne un an tout entier pour vous y résoudre. » La Princesse avait si peu d'esprit, et en même temps une si grande envie d'en avoir, qu'elle s'imagina que la fin de cette année ne viendrait jamais ; de sorte qu'elle accepta la proposition qui lui était faite. Elle n'eut pas plus tôt promis à Riquet à la Houppe qu'elle l'épouserait dans un an à pareil jour, qu'elle se sentit tout autre qu'elle n'était auparavant ; elle se trouva une facilité incroyable à dire tout ce qui lui plaisait, et à le dire d'une manière fine, aisée et naturelle. Elle commença dès ce moment une conversation galante et soutenue avec Riquet à la Houppe, où elle brilla d'une telle force que Riquet à la Houppe crut lui avoir donné plus d'esprit qu'il ne s'en était réservé pour lui-même. Quand elle fut retournée au Palais, toute la Cour ne savait que penser d'un changement si subit et si extraordinaire, car autant qu'on lui avait ouï dire d'impertinences auparavant, autant lui entendait-on dire des choses bien sensées et infiniment spirituelles. Toute la Cour en eut une joie qui ne se peut imaginer, il n'y eut que sa cadette qui n'en fut pas bien aise, parce que n'ayant plus sur son aînée l'avantage de l'esprit, elle ne paraissait plus auprès d'elle qu'une Guenon fort désagréable. Le Roi se conduisait par ses avis, et allait même quelquefois tenir le Conseil dans son Appartement. Le bruit de ce changement s'étant répandu, tous les jeunes Princes des Royaumes voisins firent leurs efforts pour s'en faire aimer, et presque tous la demandèrent en Mariage ; mais elle n'en trouvait point qui eût assez d'esprit, et elle les écoutait tous sans s'engager à pas un d'eux. Cependant il en vint un si puissant, si riche, si spirituel et si bien fait, qu'elle ne put s'empêcher d'avoir de la bonne volonté pour lui. Son père s'en étant aperçu lui dit qu'il la faisait la maîtresse sur le choix d'un Époux, et qu'elle n'avait qu'à se déclarer. Comme plus on a d'esprit et plus on a de peine à prendre une ferme résolution sur cette affaire, elle demanda, après avoir remercié son père, qu'il lui donnât du temps pour y penser. Elle alla par hasard se promener dans le même bois où elle avait trouvé Riquet à la Houppe, pour rêver plus commodément à ce qu'elle avait à faire. Dans le temps qu'elle se promenait, rêvant profondément, elle entendit un bruit sourd sous ses pieds, comme de plusieurs personnes qui vont et viennent et qui agissent. Ayant prêté l'oreille plus attentivement, elle ouït que l'un disait : « Apporte-moi cette marmite » ; l'autre : « Donne-moi cette chaudière » ; l'autre : « Mets du bois dans ce feu. » La terre s'ouvrit dans le même temps, et elle vit sous ses pieds comme une grande Cuisine pleine de Cuisiniers, de Marmitons et de toutes sortes d'Officiers nécessaires pour faire un festin magnifique. Il en sortit une bande de vingt ou trente Rôtisseurs, qui allèrent se camper dans une allée du bois autour d'une table fort longue, et qui tous, la lardoire à la main, et la queue de Renard sur l'oreille, se mirent à travailler en cadence au son d'une Chanson harmonieuse. La Princesse, étonnée de ce spectacle, leur demanda pour qui ils travaillaient. « C'est, Madame, lui répondit le plus apparent de la bande, pour le Prince Riquet à la Houppe, dont les noces se feront demain. » La Princesse encore plus surprise qu'elle ne l'avait été, et se ressouvenant tout à coup qu'il y avait un an

*Elle vit sous ses pieds comme une grande cuisine pleine de cuisiniers, de marmitons, et de toutes sortes d'officiers nécessaires pour faire un festin magnifique*

qu'à pareil jour elle avait promis d'épouser le Prince Riquet à la Houppe, elle pensa tomber de son haut. Ce qui faisait qu'elle ne s'en souvenait pas, c'est que, quand elle fit cette promesse, elle était une bête, et qu'en prenant le nouvel esprit que le Prince lui avait donné, elle avait oublié toutes ses sottises. Elle n'eut pas fait trente pas en continuant sa promenade, que Riquet à la Houppe se présenta à elle, brave, magnifique, et comme un Prince qui va se marier. « Vous me voyez, dit-il, Madame, exact à tenir ma parole, et je ne doute point que vous ne veniez ici pour exécuter la vôtre, et me rendre, en me donnant la main, le plus heureux de tous les hommes. – Je vous avouerai franchement, répondit la Princesse, que je n'ai pas encore pris ma résolution là-dessus, et que je ne crois pas pouvoir jamais la prendre telle que vous la souhaitez. – Vous m'étonnez, Madame, lui dit Riquet à la Houppe. – Je le crois, dit la Princesse, et assurément si j'avais affaire à un brutal, à un homme sans esprit, je me trouverais bien embarrassée. Une Princesse n'a que sa parole, me dirait-il, et il faut que vous m'épousiez, puisque vous me l'avez promis ; mais comme celui à qui je parle est l'homme du monde qui a le plus d'esprit, je suis sûre qu'il entendra raison. Vous savez que, quand je n'étais qu'une bête, je ne pouvais néanmoins me résoudre à vous épouser ; comment voulez-vous qu'ayant l'esprit que vous m'avez donné, qui me rend encore plus difficile en gens que je n'étais, je prenne aujourd'hui une résolution que je n'ai pu prendre dans ce temps-là ? Si vous pensez tout de bon à m'épouser, vous avez eu grand tort de m'ôter ma bêtise, et de me faire voir plus clair que je ne voyais. – Si un homme sans esprit, répondit Riquet à la Houppe, serait bien reçu, comme vous venez de le dire, à vous reprocher votre manque de parole, pourquoi voulez-vous, Madame, que je n'en use pas de même, dans une chose où il y va de tout le bonheur de ma vie ? Est-il raisonnable que les personnes qui ont de l'esprit soient d'une pire condition que ceux qui n'en ont pas ? Le pouvez-vous prétendre, vous qui en avez tant, et qui avez tant souhaité d'en avoir ? Mais venons au fait, s'il vous plaît. À la réserve de ma laideur, y a-t-il quelque chose en moi qui vous déplaise ? Êtes-vous mal contente de ma naissance, de mon esprit, de mon humeur, et de mes manières ? – Nullement, répondit la Princesse, j'aime en vous tout ce que vous venez de me dire. – Si cela est ainsi, reprit Riquet à la Houppe, je vais être heureux, puisque vous pouvez me rendre le plus aimable de tous les hommes. – Comment cela se peut-il faire ? lui dit la Princesse. – Cela se fera, répondit Riquet à la Houppe, si vous m'aimez assez pour souhaiter que cela soit ; et afin, Madame, que vous n'en doutiez pas, sachez que la même Fée qui au jour de ma naissance me fit le don de pouvoir rendre spirituelle la personne qu'il me plairait, vous a aussi fait le don de pouvoir rendre beau celui que vous aimerez, et à qui vous voudrez bien faire cette faveur. – Si la chose est ainsi, dit la Princesse, je souhaite de tout mon cœur que vous deveniez le Prince du monde le plus beau et le plus aimable ; et je vous en fais le don autant qu'il est en moi. » La Princesse n'eut pas plus tôt prononcé ces paroles, que Riquet à la Houppe parut à ses yeux l'homme du monde le plus beau, le mieux fait et le plus aimable qu'elle eût jamais vu. Quelques-uns assurent que ce ne furent point les charmes de la Fée qui opérèrent, mais que l'amour seul fit cette Métamorphose. Ils disent que la Princesse ayant fait réflexion sur la persévérance de son Amant, sur sa discrétion, et sur toutes les bonnes qualités de son âme et de son esprit, ne vit plus la difformité de son corps, ni la laideur de son visage, que sa bosse ne lui sembla plus que le bon air d'un homme qui fait le gros dos, et qu'au lieu que jusqu'alors elle l'avait vu boiter effroyablement, elle ne lui trouva plus qu'un certain air penché qui la charmait ; ils disent encore que ses yeux, qui étaient louches, ne lui en parurent que plus brillants, que leur dérèglement passa dans son esprit pour la marque d'un violent excès d'amour, et qu'enfin son gros nez rouge eut pour elle quelque chose de Martial et d'Héroïque. Quoi qu'il en soit, la Princesse lui promit sur-le-champ de l'épouser, pourvu qu'il en obtînt le consentement du Roi son père. Le Roi ayant su que sa fille avait beaucoup d'estime pour Riquet à la Houppe, qu'il connaissait d'ailleurs pour un Prince très spirituel et très sage, le reçut avec plaisir pour son gendre. Dès le lendemain les noces furent faites, ainsi que Riquet à la Houppe l'avait prévu, et selon les ordres qu'il en avait donnés longtemps auparavant.

## MORALITÉ

*Ce que l'on voit dans cet écrit,*
*Est moins un conte en l'air que la vérité même ;*
*Tout est beau dans ce que l'on aime,*
*Tout ce qu'on aime a de l'esprit.*


## AUTRE MORALITÉ

*Dans un objet où la Nature,*
*Aura mis de beaux traits, et la vive peinture*
*D'un teint où jamais l'Art ne saurait arriver*
*Tous ces dons pourront moins pour rendre un cœur*
                                        *[sensible,*
*Qu'un seul agrément invisible*
*Que l'Amour y fera trouver.*

*« Tu vois bien que nous ne pouvons plus nourrir
nos enfants »*

# LE PETIT POUCET

*Conte*

Il était une fois un Bûcheron et une Bûcheronne qui avaient sept enfants tous Garçons.
L'aîné n'avait que dix ans, et le plus jeune n'en
avait que sept. On s'étonnera que le Bûcheron
ait eu tant d'enfants en si peu de temps ; mais
c'est que sa femme allait vite en besogne, et
n'en faisait pas moins que deux à la fois. Ils
étaient fort pauvres, et leurs sept enfants les
incommodaient beaucoup, parce qu'aucun
d'eux ne pouvait encore gagner sa vie. Ce qui
les chagrinait encore, c'est que le plus jeune
était fort délicat et ne disait mot : prenant pour
bêtise ce qui était une marque de la bonté de
son esprit. Il était fort petit, et quand il vint au
monde, il n'était guère plus gros que le pouce,
ce qui fit que l'on l'appela le petit Poucet. Ce
pauvre enfant était le souffre-douleur de la
maison, et on lui donnait toujours le tort.
Cependant il était le plus fin, et le plus avisé de
tous ses frères, et s'il parlait peu, il écoutait
beaucoup. Il vint une année très fâcheuse, et la
famine fut si grande, que ces pauvres gens résolurent de se défaire de leurs enfants. Un soir

que ces enfants étaient couchés, et que le Bûcheron était auprès du feu avec sa femme, il lui dit, le cœur serré de douleur : « Tu vois bien que nous ne pouvons plus nourrir nos enfants ; je ne saurais les voir mourir de faim devant mes yeux, et je suis résolu de les mener perdre demain au bois, ce qui sera aisé, car tandis qu'ils s'amuseront à fagoter, nous n'avons qu'à nous enfuir sans qu'ils nous voient. – Ah ! s'écria la Bûcheronne, pourrais-tu bien toi-même mener perdre tes enfants ? » Son mari avait beau lui représenter leur grande pauvreté, elle ne pouvait y consentir, elle était pauvre, mais elle était leur mère. Cependant ayant considéré quelle douleur ce leur serait de les voir mourir de faim, elle y consentit, et alla se coucher en pleurant. Le petit Poucet ouït tout ce qu'ils dirent, car ayant entendu de dedans son lit qu'ils parlaient d'affaires, il s'était levé doucement, et s'était glissé sous l'escabelle de son père pour les écouter sans être vu. Il alla se coucher et ne dormit point le reste de la nuit, songeant à ce qu'il avait à faire. Il se leva de bon matin, et alla au bord d'un ruisseau, où il emplit ses poches de petits cailloux blancs, et ensuite revint à la maison. On partit, et le petit Poucet ne découvrit rien de tout ce qu'il savait à ses frères. Ils allèrent dans une forêt fort épaisse, où à dix pas de distance on ne se voyait pas l'un l'autre. Le Bûcheron se mit à couper du bois et ses enfants à ramasser les broutilles pour faire des fagots. Le père et la mère, les voyant occupés à travailler, s'éloignèrent d'eux insensi-blement, et puis s'enfuirent tout à coup par un

*En marchant il avait laissé tomber le long du chemin
les petits cailloux blancs qu'il avait dans ses poches*

petit sentier détourné. Lorsque ces enfants se virent seuls, ils se mirent à crier et à pleurer de toute leur force. Le petit Poucet les laissait crier, sachant bien par où il reviendrait à la maison ; car en marchant il avait laissé tomber le long du chemin les petits cailloux blancs qu'il avait dans ses poches. Il leur dit donc : « Ne craignez point, mes frères ; mon Père et ma Mère nous ont laissés ici, mais je vous remènerai bien au logis, suivez-moi seulement. » Ils le suivirent, et il les mena jusqu'à leur maison par le même chemin qu'ils étaient venus dans la forêt. Ils n'osèrent d'abord entrer, mais ils se mirent tous contre la porte pour écouter ce que disaient leur Père et leur Mère.

Dans le moment que le Bûcheron et la Bûcheronne arrivèrent chez eux, le Seigneur du Village leur envoya dix écus qu'il leur devait il y avait longtemps, et dont ils n'espéraient plus rien. Cela leur redonna la vie, car les pauvres gens mouraient de faim. Le Bûcheron envoya sur l'heure sa femme à la Boucherie. Comme il y avait longtemps qu'elle n'avait mangé, elle acheta trois fois plus de viande qu'il n'en fallait pour le souper de deux personnes. Lorsqu'ils furent rassasiés, la Bûcheronne dit : « Hélas ! où sont maintenant nos pauvres enfants ? Ils feraient bonne chère de ce qui nous reste là. Mais aussi, Guillaume, c'est toi qui les as voulu perdre ; j'avais bien dit que nous nous en repentirions. Que font-ils maintenant dans cette Forêt ? Hélas ! mon Dieu, les Loups les ont peut-être mangés ! Tu es bien inhumain d'avoir perdu ainsi tes enfants. » Le Bûcheron s'impa-

tienta à la fin, car elle redit plus de vingt fois
qu'ils s'en repentiraient et qu'elle l'avait bien
dit. Il la menaça de la battre si elle ne se taisait.
Ce n'est pas que le Bûcheron ne fût peut-être
encore plus fâché que sa femme, mais c'est
qu'elle lui rompait la tête, et qu'il était de
l'humeur de beaucoup d'autres gens, qui aiment
fort les femmes qui disent bien, mais qui trouvent très importunes celles qui ont toujours
bien dit. La Bûcheronne était toute en pleurs :
« Hélas ! où sont maintenant mes enfants, mes
pauvres enfants ? » Elle le dit une fois si haut
que les enfants qui étaient à la porte, l'ayant
entendu, se mirent à crier tous ensemble :
« Nous voilà, nous voilà. » Elle courut vite leur
ouvrir la porte, et leur dit en les embrassant :
« Que je suis aise de vous revoir, mes chers
enfants ! Vous êtes bien las, et vous avez bien
faim ; et toi Pierrot, comme te voilà crotté, viens
que je te débarbouille. » Ce Pierrot était son fils
aîné qu'elle aimait plus que tous les autres,
parce qu'il était un peu rousseau, et qu'elle était
un peu rousse. Ils se mirent à Table, et mangèrent d'un appétit qui faisait plaisir au Père et à
la Mère, à qui ils racontaient la peur qu'ils
avaient eue dans la Forêt en parlant presque
toujours tous ensemble. Ces bonnes gens étaient
ravis de revoir leurs enfants avec eux, et cette
joie durant tant que les dix écus durèrent. Mais
lorsque l'argent fut dépensé, ils retombèrent
dans leur premier chagrin, et résolurent de les
perdre encore, et pour ne pas manquer leur
coup, de les mener bien plus loin que la première fois. Ils ne purent parler de cela si secrè-

*Ils mangèrent d'un appétit qui faisait plaisir*
*au père et à la mère*

tement qu'ils ne fussent entendus par le petit
Poucet, qui fit son compte de sortir d'affaire
comme il avait déjà fait ; mais quoiqu'il se fût
levé de bon matin pour aller ramasser des petits
cailloux, il ne put en venir à bout, car il trouva
la porte de la maison fermée à double tour. Il ne
savait que faire, lorsque la Bûcheronne leur
ayant donné à chacun un morceau de pain pour
leur déjeuner, il songea qu'il pourrait se servir
de son pain au lieu de cailloux en le jetant par
miettes le long des chemins où ils passeraient ; il
le serra donc dans sa poche. Le Père et la Mère
les menèrent dans l'endroit de la Forêt le plus
épais et le plus obscur, et dès qu'ils y furent, ils
gagnèrent un faux-fuyant et les laissèrent là. Le
petit Poucet ne s'en chagrina pas beaucoup,
parce qu'il croyait retrouver aisément son
chemin par le moyen de son pain qu'il avait
semé partout où il avait passé ; mais il fut bien
surpris lorsqu'il ne put en retrouver une seule
miette ; les Oiseaux étaient venus qui avaient
tout mangé. Les voilà donc bien affligés, car
plus ils marchaient, plus ils s'égaraient et
s'enfonçaient dans la Forêt. La nuit vint, et il
s'éleva un grand vent, qui leur faisait des peurs
épouvantables. Ils croyaient n'entendre de tous
côtés que des hurlements de Loups qui venaient
à eux pour les manger. Ils n'osaient presque se
parler ni tourner la tête. Il survint une grosse
pluie qui les perça jusqu'aux os ; ils glissaient à
chaque pas et tombaient dans la boue, d'où ils
se relevaient tout crottés, ne sachant que faire
de leurs mains. Le petit Poucet grimpa au haut
d'un Arbre pour voir s'il ne découvrait rien ;

ayant tourné la tête de tous côtés, il vit une petite lueur comme d'une chandelle, mais qui était bien loin par-delà la Forêt. Il descendit de l'arbre ; et lorsqu'il fut à terre, il ne vit plus rien ; cela le désola. Cependant, ayant marché quelque temps avec ses frères du côté qu'il avait vu la lumière, il la revit en sortant du Bois. Ils arrivèrent enfin à la maison où était cette chandelle, non sans bien des frayeurs, car souvent ils la perdaient de vue, ce qui leur arrivait toutes les fois qu'ils descendaient dans quelques fonds. Ils heurtèrent à la porte, et une bonne femme vint leur ouvrir. Elle leur demanda ce qu'ils voulaient ; le petit Poucet leur dit qu'ils étaient de pauvres enfants qui s'étaient perdus dans la Forêt, et qui demandaient à coucher par charité. Cette femme les voyant tous si jolis se mit à pleurer, et leur dit : « Hélas ! mes pauvres enfants, où êtes-vous venus ? Savez-vous bien que c'est ici la maison d'un Ogre qui mange les petits enfants ? – Hélas ! Madame, lui répondit le petit Poucet, qui tremblait de toute sa force aussi bien que ses frères, que ferons-nous ? Il est bien sûr que les Loups de la Forêt ne manqueront pas de nous manger cette nuit, si vous ne voulez pas nous retirer chez vous. Et cela étant, nous aimons mieux que ce soit Monsieur qui nous mange ; peut-être qu'il aura pitié de nous, si vous voulez bien l'en prier. » La femme de l'Ogre qui crut qu'elle pourrait les cacher à son mari jusqu'au lendemain matin, les laissa entrer et les mena se chauffer auprès d'un bon feu ; car il y avait un Mouton tout entier à la broche pour le souper de l'Ogre. Comme ils

*Une bonne femme vint leur ouvrir*

commençaient à se chauffer, ils entendirent heurter trois ou quatre grands coups à la porte : c'était l'Ogre qui revenait. Aussitôt sa femme les fit cacher sous le lit et alla ouvrir la porte. L'Ogre demanda d'abord si le souper était prêt, et si on avait tiré du vin, et aussitôt se mit à table. Le Mouton était encore tout sanglant, mais il ne lui en sembla que meilleur. Il fleurait à droite et à gauche, disant qu'il sentait la chair fraîche. « Il faut, lui dit sa femme, que ce soit ce Veau que je viens d'habiller que vous sentez. – Je sens la chair fraîche, te dis-je encore une fois, reprit l'Ogre, en regardant sa femme de travers, et il y a ici quelque chose que je n'entends pas. » En disant ces mots, il se leva de Table, et alla droit au lit. « Ah, dit-il, voilà donc comme tu veux me tromper, maudite femme ! Je ne sais à quoi il tient que je ne te mange aussi ; bien t'en prend d'être une vieille bête. Voilà du Gibier qui me vient bien à propos pour traiter trois Ogres de mes amis qui doivent me venir voir ces jours ici. » Il les tira de dessous le lit l'un après l'autre. Ces pauvres enfants se mirent à genoux en lui demandant pardon ; mais ils avaient à faire au plus cruel de tous les Ogres, qui bien loin d'avoir de la pitié les dévorait déjà des yeux, et disait à sa femme que ce serait là de friands morceaux lorsqu'elle leur aurait fait une bonne sauce. Il alla prendre un grand Couteau, et en approchant de ces pauvres enfants, il l'aiguisait sur une longue pierre qu'il tenait à sa main gauche. Il en avait déjà empoigné un, lorsque sa femme lui dit : « Que voulez-vous faire à l'heure qu'il est ? n'aurez-

« Je sens la chair fraîche, te dis-je encore une fois, reprit
l'Ogre en regardant sa femme de travers »

*Il les tira de dessous le lit l'un après l'autre*

vous pas assez de temps demain matin ? – Tais-
toi, reprit l'Ogre, ils en seront plus mortifiés.
– Mais vous avez encore là tant de viande,
reprit sa femme ; voilà un Veau, deux Moutons
et la moitié d'un Cochon ! – Tu as raison, dit
l'Ogre ; donne-leur bien à souper, afin qu'ils ne
maigrissent pas, et va les mener coucher. » La
bonne femme fut ravie de joie, et leur porta
bien à souper, mais ils ne purent manger tant ils
étaient saisis de peur. Pour l'Ogre, il se remit à
boire, ravi d'avoir de quoi si bien régaler ses
Amis. Il but une douzaine de coups plus qu'à
l'ordinaire, ce qui lui donna un peu dans la tête,
et l'obligea de s'aller coucher.

L'Ogre avait sept filles, qui n'étaient encore
que des enfants. Ces petites Ogresses avaient
toutes le teint fort beau, parce qu'elles man-
geaient de la chair fraîche comme leur père ;
mais elles avaient de petits yeux gris et tout
ronds, le nez crochu et une fort grande bouche
avec de longues dents fort aiguës et fort éloignées l'une de l'autre. Elles n'étaient pas encore
fort méchantes ; mais elles promettaient beaucoup, car elles mordaient déjà les petits enfants
pour en sucer le sang. On les avait fait coucher
de bonne heure, et elles étaient toutes sept dans
un grand lit, ayant chacune une Couronne d'or
sur la tête. Il y avait dans la même Chambre un
autre lit de la même grandeur, ce fut dans ce lit
que la femme de l'Ogre mit coucher les sept
garçons ; après quoi, elle s'alla coucher auprès
de son mari. Le petit Poucet qui avait remarqué
que les filles de l'Ogre avaient des Couronnes
d'or sur la tête, et qui craignait qu'il ne prît à

l'Ogre quelque remords de ne les avoir pas
égorgés dès le soir même, se leva vers le milieu
de la nuit, et prenant les bonnets de ses frères et
le sien, il alla tout doucement les mettre sur la
tête des sept filles de l'Ogre, après leur avoir ôté
leurs Couronnes d'or qu'il mit sur la tête de ses
frères et sur la sienne, afin que l'Ogre les prît
pour ses filles, et ses filles pour les garçons qu'il
voulait égorger. La chose réussit comme il l'avait
pensé ; car l'Ogre s'étant éveillé sur le minuit
eut regret d'avoir différé au lendemain ce qu'il
pouvait exécuter la veille ; il se jeta donc brusquement hors du lit, et prenant son grand
Couteau : « Allons voir, dit-il, comment se por-
tent nos petits drôles ; n'en faisons pas à deux
fois. » Il monta donc à tâtons à la Chambre de
ses filles et s'approcha du lit où étaient les petits
garçons, qui dormaient tous, excepté le petit
Poucet, qui eut bien peur lorsqu'il sentit la main
de l'Ogre qui lui tâtait la tête, comme il avait
tâté celles de tous ses frères. L'Ogre, qui sentit
les Couronnes d'or : « Vraiment, dit-il, j'allais
faire là un bel ouvrage ; je vois bien que je bus
trop hier au soir. » Il alla ensuite au lit de ses
filles, où ayant senti les petits bonnets des
garçons : « Ah ! les voilà, dit-il, nos gaillards !
Travaillons hardiment. » En disant ces mots, il
coupa sans balancer la gorge à ses sept filles.
Fort content de cette expédition, il alla se
recoucher auprès de sa femme. Aussitôt que le
petit Poucet entendit ronfler l'Ogre, il réveilla
ses frères, et leur dit de s'habiller promptement
et de le suivre. Ils descendirent doucement dans
le Jardin, et sautèrent par-dessus les murailles.

Ils coururent presque toute la nuit, toujours en tremblant et sans savoir où ils allaient. L'Ogre s'étant éveillé dit à sa femme : « Va-t'en là-haut habiller ces petits drôles d'hier soir. » L'Ogresse fut fort étonnée de la bonté de son mari, ne se doutant point de la manière qu'il entendait qu'elle les habillât, et croyant qu'il lui ordonnait de les aller vêtir, elle monta en haut où elle fut bien surprise lorsqu'elle aperçut ses sept filles égorgées et nageant dans leur sang. Elle commença par s'évanouir (car c'est le premier expédient que trouvent presque toutes les femmes en pareilles rencontres). L'Ogre, craignant que sa femme ne fût trop longtemps à faire la besogne dont il l'avait chargée, monta en haut pour lui aider. Il ne fut pas moins étonné que sa femme lorsqu'il vit cet affreux spectacle. « Ah ! qu'ai-je fait s'écria-t-il, ils me le payeront, les malheureux, et tout à l'heure. » Il jeta aussitôt une potée d'eau dans le nez de sa femme et l'ayant fait revenir : « Donne-moi vite mes bottes de sept lieues, lui dit-il, afin que j'aille les attraper. » Il se mit en campagne, et après avoir couru bien loin de tous côtés, enfin il entra dans le chemin où marchaient ces pauvres enfants qui n'étaient plus qu'à cent pas du logis de leur père. Ils virent l'Ogre qui allait de montagne en montagne, et qui traversait des rivières aussi aisément qu'il aurait fait le moindre ruisseau. Le petit Poucet, qui vit un Rocher creux proche le lieu où ils étaient, y fit cacher ses six frères, et s'y fourra aussi, regardant toujours ce que l'Ogre deviendrait. L'Ogre qui se trouvait fort las du long chemin qu'il

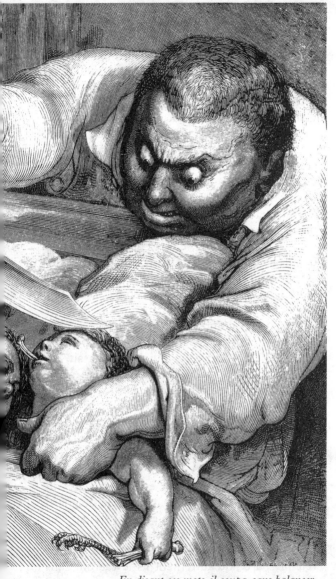

*En disant ces mots, il coupa, sans balancer,*
*la gorge à ses sept filles*

avait fait inutilement (car les bottes de sept lieues fatiguent fort leur homme), voulut se reposer, et par hasard il alla s'asseoir sur la roche où les petits garçons s'étaient cachés. Comme il n'en pouvait plus de fatigue, il s'endormit après s'être reposé quelque temps, et vint à ronfler si effroyablement que les pauvres enfants n'en eurent pas moins de peur que quand il tenait son grand Couteau pour leur couper la gorge. Le petit Poucet en eut moins de peur, et dit à ses frères de s'enfuir promptement à la maison, pendant que l'Ogre dormait bien fort, et qu'ils ne se missent point en peine de lui. Ils crurent son conseil, et gagnèrent vite la maison. Le petit Poucet s'étant approché de l'Ogre, lui tira doucement ses bottes, et les mit aussitôt. Les bottes étaient fort grandes et fort larges ; mais comme elles étaient Fées, elles avaient le don de s'agrandir et de s'apetisser selon la jambe de celui qui les chaussait, de sorte qu'elles se trouvèrent aussi justes à ses pieds et à ses jambes que si elles avaient été faites pour lui. Il alla droit à la maison de l'Ogre où il trouva sa femme qui pleurait auprès de ses filles égorgées. « Votre mari, lui dit le petit Poucet, est en grand danger, car il a été pris par une troupe de voleurs qui ont juré de le tuer s'il ne leur donne tout son or et tout son argent. Dans le moment qu'ils lui tenaient le poignard sur la gorge, il m'a aperçu et m'a prié de vous venir avertir de l'état où il est, et de vous dire de me donner tout ce qu'il a vaillant sans en rien retenir, parce qu'autrement ils le tueront sans miséricorde. Comme la chose presse beaucoup, il a voulu que je prisse ses bottes de sept lieues que voilà pour faire diligence, et aussi afin que vous ne croyiez pas que je sois un affronteur. » La bonne femme fort effrayée lui donna aussitôt tout ce qu'elle avait car cet Ogre ne laissait pas d'être fort bon mari, quoiqu'il mangeât les petits enfants. Le petit Poucet étant donc chargé de toutes les richesses de l'Ogre s'en revint au logis de son père, où il fut reçu avec bien de la joie.

Il y a bien des gens qui ne demeurent pas d'accord de cette dernière circonstance, et qui prétendent que le petit Poucet n'a jamais fait ce vol à l'Ogre ; qu'à la vérité, il n'avait pas fait conscience de lui prendre ses bottes de sept lieues, parce qu'il ne s'en servait que pour courir après les petits enfants. Ces gens-là assurent le savoir de bonne part, et même pour avoir bu et mangé dans la maison du Bûcheron. Ils assurent que lorsque le petit Poucet eut chaussé les bottes de l'Ogre, il s'en alla à la Cour, où il savait qu'on était fort en peine d'une Armée qui était à deux cents lieues de là, et du succès d'une Bataille qu'on avait donnée. Il alla, disent-ils, trouver le Roi, et lui dit que s'il le souhaitait, il lui rapporterait des nouvelles de l'Armée avant la fin du jour. Le Roi lui promit une grosse somme d'argent s'il en venait à bout. Le petit Poucet rapporta des nouvelles dès le soir même, et cette première course l'ayant fait connaître, il gagnait tout ce qu'il voulait ; car le Roi le payait parfaitement bien pour porter ses ordres à l'Armée, et une infinité de Dames lui donnaient tout ce qu'il voulait pour avoir des

*Le Petit Poucet, s'étant approché de l'Ogre,*
*lui tira doucement ses bottes*

nouvelles de leurs Amants, et ce fut là son plus grand gain. Il se trouvait quelques femmes qui le chargeaient de Lettres pour leurs maris, mais elles le payaient si mal, et cela allait à si peu de chose, qu'il ne daignait mettre en ligne de compte ce qu'il gagnait de ce côté-là. Après avoir fait pendant quelque temps le métier de courrier, et y avoir amassé beaucoup de bien, il revint chez son père, où il n'est pas possible d'imaginer la joie qu'on eut de le revoir. Il mit toute sa famille à son aise. Il acheta des Offices de nouvelle création pour son père et pour ses frères ; et par là il les établit tous, et fit parfaitement bien sa cour en même temps.

## MORALITÉ

*On ne s'afflige point d'avoir beaucoup d'enfants,*
*    Quand ils sont tous beaux, bien faits et biens*
*                              [grands,*
*    Et d'un extérieur qui brille ;*
*  Mais si l'un d'eux est faible ou ne dit mot,*
*  On le méprise, on le raille, on le pille ;*
*Quelquefois cependant c'est ce petit marmot*
*Qui fera le bonheur de toute la famille.*

# LECTURE D'IMAGE

Dessinateur dès l'enfance, Gustave Doré (1832-
1883) devint célèbre grâce à ses travaux pour la presse
et comme illustrateur de textes anciens (les œuvres de
Rabelais, 1854) et modernes (Balzac, *Contes drola-
tiques*, 1855). Dans cette spécialité, il sut proposer une
vision originale où le souvenir des vieux maîtres
(Rembrandt, Dürer) s'allie au rêve, au grotesque et au
tragique caractéristiques de l'imaginaire romantique.
Par la suite, tout en livrant chaque année plusieurs
centaines de compositions destinées à être gravées et
imprimées, Doré allait élargir son domaine d'expression dans le but d'obtenir une reconnaissance artis-
tique conforme à ses succès de librairie. Passant de la
plume à l'aquarelle, de la gouache à l'huile, du bronze
au plâtre, il s'attacha aussi bien à l'actualité de son
époque, au spectacle de l'Orient lointain, de l'Espagne
pittoresque et de l'Angleterre travailleuse, qu'aux
légendes de l'ancienne France rurale et aux principaux monuments littéraires, qu'il entreprit de revisiter
systématiquement, du *Quichotte* de Cervantès à la
*Divine Comédie* de Dante, des *Fables* de La Fontaine
au *Roland furieux* de l'Arioste. Son œuvre immense et
multiple reçut cependant un accueil inégal, notamment en France où ses peintures de paysages et ses

immenses compositions religieuses, comme ses sculptures, restèrent dans l'ombre de ses vignettes comiques et dessins pour l'édition.

Parus en 1862 chez l'éditeur de livres pour la jeunesse Jules Hetzel, les *Contes* de Perrault sont contemporains, dans l'œuvre d'illustrateur de Gustave Doré, d'un *Capitaine Castagnette*, parodie napoléonienne, d'une *Mythologie du Rhin*, d'*Aventures du baron de Münchhausen* et de croquis préparatoires pour le *Quichotte* et pour une *Atala*. La division naturelle de l'ouvrage en récits indépendants les uns des autres est l'occasion pour l'artiste de laisser libre cours à son éclectisme, où la reconstitution d'un passé historique obscur ou merveilleux (*La Barbe bleue*, *Riquet à la Houppe*) s'enrichit d'une note tour à tour fantastique et élégiaque (*Le Petit Poucet*, *Peau d'Âne*), ou sert de fond au truculent réalisme de scènes rustiques (*Le Chat botté*).

Le lecteur trouvera dans les pages qui suivent les commentaires des illustrations reproduites dans ce volume. Les légendes qui accompagnent les images sont celles de l'édition Hetzel ; on remarquera qu'elles ne suivent pas toujours à la lettre le texte de Perrault, et parfois même qu'elles s'en éloignent franchement, comme dans *Peau d'Âne* : c'est en effet la version en prose de ce conte – version anonyme, diffusée depuis 1781 – qui a été retenue par Doré, et non la version en vers de Perrault, ce qui explique ces divergences. Le folio qui suit chaque légende renvoie à la page où figure l'illustration.

*La lecture des contes en famille (p. 44)*

L'expérience des contes tient moins ici à l'univers singulier auquel ils donnent accès qu'à leur pouvoir de suspendre l'attention. Gustave Doré insiste sur les sacrifices consentis à l'instant de la lecture – jouets abandonnés au premier plan, déguisement de dame négligé par la fillette campée de profil, sur la droite –,

alors qu'un seul épisode lié à l'œuvre de Charles Perrault reçoit mention, le vol par Poucet des bottes de
l'Ogre, et cela indirectement, par le truchement du
tableau encadré situé au fond – auquel aucun des protagonistes de la scène ne porte la moindre attention.
Aussi notre regard est-il conduit jusqu'à un seul objet,
situé au centre à l'amorce des lignes et du mouvement
tournant de la composition, le livre. Livre qui n'est
pas à lire, mais qui est lu : l'expérience des contes est
celle, collective, de la famille, où la figure majeure de
la grand-mère, par qui le texte devient parole, renvoie
à la fois au temps passé qui est celui propre au récit, et
à l'environnement féminin traditionnellement réservé
à l'enfance.

*Les grands de l'État s'assemblèrent, et vinrent en corps
prier le roi de se remarier. Cette proposition lui parut
dure… (p. 93)*

Le thème du mariage ou du remariage des rois, qui
détermine *Peau d'Âne*, a beaucoup perdu au XIXᵉ siècle
de l'acuité qu'il pouvait avoir au XVIIᵉ. En 1862,
lorsque paraissent les *Contes* de Perrault illustrés par
Doré, l'empereur des Français Napoléon III est
l'époux d'une très jeune et jolie femme – Eugénie de
Montijo – qu'il a choisie dix ans plus tôt loin des pres-
sions et même du regard de la cour. Aussi la présente
image est-elle l'une des plus parodiques de tout le
livre : l'espèce de bonbonnière tendue de tissus, de
velours, de franges, saturée d'ors et de porcelaine, où
se pressent les « grands de l'État » soucieux de leur roi
sans reine – une galerie de trognes et de mines pom-
peuses – contribue au cliché d'une histoire ancienne
ridicule, aux mœurs dépassées. De cette distance naît
la féerie caractéristique des autres compositions créées
par l'artiste pour illustrer le conte.

*La jeune princesse, outrée d'une vive douleur, n'imagina rien autre chose que d'aller trouver la fée des Lilas, sa marraine (p. 95)*

Gustave Doré emprunte à la peinture allemande romantique, qu'il connaît bien, le motif du grand château gothique situé à mi-chemin de la terre aux cieux. La sévérité de la forteresse, propre à rendre l'idée d'une loi aveugle qui domine les individus, installe cependant une distance qui peut paraître providentielle pour la princesse : la possibilité même de l'inceste reste ignorée ici, notamment dans tout ce qu'elle implique de promiscuité.

*Elle partit la même nuit dans un joli cabriolet attelé d'un gros mouton qui savait tous les chemins (p. 101)*

Dans la version en prose de *Peau d'Âne*, c'est en « cabriolet » que la princesse s'en va trouver sa marraine : ce détail, de même que le nom donné à la marraine (la « fée des Lilas »), est absent de la version en vers de Perrault.

Comme pour l'image précédente, la féerie élimine ici toute inquiétude.

*Il vint des rois de tous les pays (p. 110-111)*

En fait de rois se pressent d'abord toutes sortes d'animaux, d'équipages et d'habits d'autres temps et d'autres lieux : l'exotisme des éléphants convoqués par Perrault se fond ici dans un délicieux et anachronique bric-à-brac.

*Cette bonne femme n'avait point ouï parler des défenses que le roi avait faites de filer au fuseau (p. 128)*

À nouveau apparaît la figure laide et vétuste de l'aïeule créée par Doré, telle qu'on en reconnaît diverses variantes sur la page de « La lecture des contes en famille » et dans la grand-mère du Chaperon rouge. Elle est ici librement tirée du côté de la sorcière, plongée dans un décor d'animaux plus ou moins sinistres (chat, corneille) dont Perrault ne dit mot.

*Ce n'était que corps étendus d'hommes et d'animaux qui paraissaient morts (p. 133)*

Le décor d'un coin de cour ou de château de la fin de l'époque gothique ou du début de la Renaissance, livré à la verte nature, est caractéristique de l'imagerie romantique, et pour le spectateur du milieu du XIXe siècle il se rattache non aux contes de Perrault, mais aux romans de Walter Scott ou aux récits historiques d'Augustin Thierry.

*Il vit sur un lit une princesse qui paraissait avoir quinze ou seize ans (p. 134-135)*

Le modèle suivi par Doré est en tous points le même que celui pour l'image de l'arrivée du fils du roi devant le château abandonné. L'amour promis ne comporte aucune contrepartie négative, et, ici, Doré se dispense même de développer l'image de la mort universelle voulue par Perrault.

*En passant dans un bois, elle rencontra compère le Loup (p. 142)*

L'apparence rassurante du loup, celle d'un gros chien de berger, constitue un début d'explication de l'imprudence du Chaperon rouge : l'animal est vu avec les yeux peu soupçonneux de l'enfant, alors même que le regard symétrique, celui de la bête sur sa future proie, nous demeure inconnu.

*Cela n'empêche pas qu'avec ses grandes dents il avait mangé une bonne grand-mère (p. 144)*

La « bonne grand-mère » de Charles Perrault apparaît singulièrement grimaçante, marquée non seulement par les ans et la dureté de sa condition, comme l'indiquent ses rides profondes, une grosse verrue sur sa joue gauche, sa bouche mince et rétractée ainsi

qu'on en voit aux édentés, le hâle sur son nez et ses
joues – car cette femme passe sa vie de paysanne en
plein soleil –, mais aussi par un criant défaut de
coquetterie – d'où la boîte à tabac renversée. Par
contraste, le monde animal conserve une certaine
séduction (poil épais et brillant du loup, amusant
retrait d'un chat de compagnie, sous le lit).

Les lorgnons abandonnés au milieu des draps dési-
gnent cependant une lectrice : le détail, fort invrai-
semblable si l'on ramène la scène à l'époque de
Perrault et de la paysannerie française du XVIIᵉ siècle,
doit être interprété en référence à l'univers des desti-
nataires de l'édition illustrée par Doré, enfants petits-
bourgeois et bourgeois du XIXᵉ siècle, choyés par
quelque aïeule.

*Le Chaperon rouge fut bien étonné de voir comment sa
grand-mère était faite en son déshabillé (p. 146-147)*

L'étonnement que, suivant le texte de Perrault, le
Chaperon rouge ressent face au loup-grand-mère, est
ici soutenu par le spectacle direct de la bête sauvage,
de sa gueule sombre, de ses pattes griffues et de ses yeux
noirs. Aussi le suspens lié à l'imprudence du Chaperon rouge le cède à la certitude de sa fin funeste : la
découverte progressive, voulue par Perrault, de la
vraie identité de l'aïeule, suivant un jeu de questions
sur les bizarreries de son anatomie, ne constitue plus
le déclencheur du massacre final, déjà inscrit dans
l'image.

*« S'il vous arrive de l'ouvrir, il n'y a rien que vous ne
deviez attendre de ma colère » (p. 153)*

Le croisement des points de vue – celui, du dessous, de l'épouse ; celui, la dominant, de la Barbe
bleue ; le nôtre enfin, qui embrasse les deux protagonistes tout en guettant le regard de la Barbe bleue sous
le bord de son chapeau, ainsi que pourrait le faire
l'épouse – enrichit la scène de mouvements et d'inté-

rêts qui demeurent implicites chez Perrault. Répondant à l'appel obstinément curieux des mains de la
femme, qui sont à la fois jointes et entrouvertes, la clef
délicatement glissée fait de la Barbe bleue un tentateur.

*Les voisines et les amies... tant elles avaient d'impa-
tience de voir les richesses de sa maison (p. 155)*

Doré s'attache moins à la curiosité des voisines et
des amies de l'épouse de la Barbe bleue qu'au faste de
sa maison, faisant de nous-mêmes d'autres curieux.
Or cette accumulation d'objets divers, parmi lesquels
on reconnaît un grand lutrin, une épée, deux aiguières,
un lustre de métal et de cristal, des éléments d'armures,
des nappes à franges et de lourdes tentures d'un style
composite, rappelle le spectacle fort couru au
XIX<sup>e</sup> siècle des produits de l'industrie, à l'occasion des
Expositions universelles.

*« Dieu soit loué ! s'écria-t-elle un moment après, ce sont
mes frères » (p. 158)*

Curieusement, Doré choisit ici d'abandonner la
princesse sur sa tour pour prendre le point de vue des
frères, représentés de dos et qui s'apprêtent à la
rejoindre pour la sauver : l'horreur et la menace de la
mort disparaissent devant une démonstration de bra-
voure.

Le décor, beaucoup trop escarpé et encombré de
rochers et de montagnes pour permettre de suivre
depuis la tour le cheminement des protagonistes, n'est
d'ailleurs pas conforme à ce qu'imagine Perrault.
Quant à la masse lourde et sévère du château, elle
rend compte de la dureté des mœurs de la Barbe bleue
plus que du raffinement du décor de sa vie : le côté
sombre du personnage décidément domine, il va
mourir.

*Ils lui passèrent leur épée au travers du corps (p. 160-161)*

La fin de la Barbe bleue, devant une manière de blason composé d'un cœur transpercé d'une épée où s'enroule un serpent, confirme le caractère de tentateur vengeur que Doré attribue au personnage de Perrault. L'épouse curieuse, de son côté, disparaît bien, comme dans le conte, à la faveur d'un évanouissement. Mais alors qu'elle s'estompe sur la gauche de l'image, elle réapparaît sur la droite, en tant que puissance féminine, sous la forme d'un mixte impassible et cruel de sphinge et de griffon.

*« Au secours ! au secours ! voilà Monsieur le marquis de Carabas qui se noie » (p. 164)*

La scène de l'apostrophe devant le carrosse du roi permettait de détailler un peu du faste louis-quatorzien dont Doré se montre volontiers friand. Mais elle est centrée par lui autour de la figure du Chat botté, portée pour la circonstance aux dimensions d'un petit homme, ainsi que l'indique le buste du Marquis de Carabas, à fleur d'eau sur la droite. Ainsi, c'est sur nous qui regardons l'image, et auxquels fait face le Chat botté, qu'est essayée sa ruse : la naïveté du monarque, implicitement moquée dans le texte de Perrault, est ici sacrifiée à la gestuelle de l'animal dressé sur ses pattes postérieures, quelque peu menaçant, et dont le regard, fixé au-dessus du nôtre (quand celui de Carabas le rencontre), repousse l'identification.

*« Bonnes gens qui moissonnez, si vous ne dites que tous ces blés appartiennent à Monsieur le marquis de Carabas, vous serez tous hachés menu comme chair à pâté » (p. 169)*

Le schéma de la scène dérive d'une composition du peintre flamand du XVIe siècle Pieter Bruegel, dont les représentations de la vie paysanne, nourries de l'observation directe de la vie aux champs et des kermesses de village, sont souvent empreintes d'une éclatante félicité. La masse des moissonneurs se résume cependant, ici, à une série de derrières larges et bêtes. Ces hommes et ces femmes pliés comme des animaux, voire comme des insectes, sont bien les « faucheux » du conte, à la fois *faucheurs* et araignées des prés.

*L'Ogre le reçut aussi civilement que le peut un ogre (p. 172-173)*

Doré concentre en une seule vue l'instant de la présentation du Chat botté à l'Ogre et la transformation de celui-ci en lion, ainsi qu'on le reconnaît à la large crinière qui tombe déjà sur ses yeux. Mais c'est la dynamique de la justice en route, suggérée au moyen du plat de nouveau-nés en salade, à mi-hauteur sur la gauche, qui mérite surtout d'être mentionnée, car elle ne figure pas dans le texte des *Contes*. Perrault en effet ne précise pas quels sont les crimes de l'Ogre, sinon qu'il est « le plus riche » des ogres « qu'on ait jamais vu », et le propriétaire de toutes les terres précédemment traversées par le roi. Ainsi, la figure du seigneur gardant à lui tous les biens – ogre réel du XVIIe siècle – s'efface devant celle du mangeur d'enfants – ogre fictionnel du XIXe siècle : le paysan opprimé n'est plus d'actualité.

*Un jour qu'elle était à cette fontaine, il vint à elle une pauvre femme qui la pria de lui donner à boire (p. 176)*

Doré semble ici renoncer à situer le texte dans un temps ancien, sinon dans une sorte de temps éternel. Rien dans le costume de la jeune fille ni dans celui de la vieille, rien dans les caractéristiques de la fontaine – solidement maçonnée et dotée d'une bouche-tube parfaitement ajointée – n'éloigne le spectateur contemporain de son XIXe siècle : c'est là que prend figure, dans la confrontation des deux femmes, de la jeunesse et de la vieillesse, dans l'eau plate et inexorable, une apparence de proverbe, de morale biblique sans vrai rapport avec Perrault.

*Le fils du roi, qui revenait de la chasse, la rencontra, et lui demanda ce qu'elle faisait là toute seule, et ce qu'elle avait à pleurer (p. 179)*

Le dénouement heureux du conte, escompté par le lecteur dès la rencontre du fils du roi, est scellé par Doré dans la disposition symétrique des deux figures principales de l'image, la femme et l'homme qui se font face et se partagent les valeurs claires et sombres. Dans le coin supérieur gauche, l'avenir de l'alliance semble d'ailleurs promis par l'enlacement de deux vieux arbres.

*Ne pouvant deviner comment cette citrouille pourrait la faire aller au bal (p. 184)*

Suivant Perrault, c'est le frappement de la baguette magique par la marraine de Cendrillon qui permet de transformer une citrouille évidée en carrosse – instant dont Doré s'efforce de réduire la pure magie en présentant un exemplaire spontanément considérable du légume, et en faisant de la marraine, qui est pourtant fée dans le texte, une assez tâcheronne employée de cuisine. Ainsi l'illustration est-elle conçue moins comme un terrain d'expression de la fantaisie que comme un instrument d'accompagnement de l'imagination.

*Approchant la pantoufle de son petit pied, il vit qu'elle y entrait sans peine et qu'elle lui était juste comme de cire (p. 190)*

Au moment de la scène décisive de l'essayage par Cendrillon de la pantoufle, Perrault souligne le charme singulier de son héroïne par contraste avec l'orgueil et la méchanceté de ses sœurs. Doré préfère quant à lui repousser les rivales dans l'ombre du second plan pour valoriser une idée de son cru : la concupiscence que la jeune fille blanche et pure excite chez les vieillards qui la jugent. La connotation sexuelle de l'emboîtage du pied s'en trouve singulièrement renforcée.

*Elle vit sous ses pieds comme une grande cuisine pleine de cuisiniers, de marmitons, et de toutes sortes d'officiers nécessaires pour faire un festin magnifique (p. 199)*

Fidèle à un schéma romantique, Doré peint la féerie sous les espèces contradictoires du grand et du petit, du beau et du laid, de l'illustre et du dérisoire : le grand nombre des officiers prévu par Perrault pour le festin de Riquet devient ici prétexte à réduire chacun à un homoncule plus ou moins contrefait, tandis que la forêt enchantée s'ouvre, dans le bas, pour donner accès aux entrailles désagréablement fumantes de la terre. La figure même de la Princesse, recroquevillée devant Riquet, se teinte de ridicule : la présente vision n'est pas la sienne – contrairement à ce qu'écrit Perrault – mais celle d'un spectateur étranger, dominant la scène.

*« Tu vois bien que nous ne pouvons plus nourrir nos enfants » (p. 204)*

Doré adopte une composition et des effets de clair-obscur inspirés de peintures hollandaises du XVIIe siècle représentant des intérieurs paysans, très en vogue auprès des collectionneurs de son époque. Mais ce modèle est détourné. Le pittoresque vire ici à l'étrange, voire même à l'inquiétant, par la correspondance qui s'établit entre la partition des valeurs noire et blanche, et celle des caractères du bûcheron et de sa femme, lui sombre et indéchiffrable, elle livide et en pleine lumière. Le conflit se concentre sur la cognée jetée près de l'âtre, suivant une interprétation assez libre du texte de Perrault : l'outil symbolise certes, avec le travail du bûcheron, les inquiétudes liées à la subsistance de sa famille, mais le tranchant de la lame, où est porté l'accent, est sans rapport direct avec le sanglant drame qui se noue.

Situé à l'intérieur même de la scène, le point de vue de Poucet apparaît décalé. L'enfant, ramené aux dimensions d'un animal, partage avec un chien et un chat, muets tous deux et affamés devant une écuelle vide, le sol de la masure. Il n'aperçoit pas les visages de ses parents et ne peut connaître ce que leurs regards nous apprennent de leurs sentiments. Sur le point de se relever, Poucet s'apprête en fait à rejoindre ses frères, hors de l'image, dans un monde qui est aussi celui du spectateur : le nôtre.

*En marchant il avait laissé tomber le long du chemin les petits cailloux blancs qu'il avait dans ses poches (p. 207)*
La forêt de feuillus servant de décor à la récolte des cailloux est devenue une forêt de conifères, de pins ou de sapins, telle qu'on en voit en Alsace, région d'où Doré est originaire. Livrée aux ténèbres, cette forêt est cependant connue des hommes : un sentier permet d'y pénétrer, qui laisse aussi quelque espoir d'en sortir.

L'accent est porté sur le caractère processionnel de la scène, où sont exaltés l'indépendance et l'esprit d'initiative qui permettent à Poucet de se détacher. La petite taille du personnage, accusée par les broussailles plus grandes que lui situées au premier plan, le distingue de ses frères, mais aussi la coupe de ses cheveux, et son costume. Doté d'une chemise blanche et d'une veste sombre quand les autres ne disposent que de blouses, les pieds dans des chaussures contrairement aux deux qui le précèdent immédiatement, Poucet est d'ailleurs coiffé à la manière d'un enfant du XIXe siècle : le modèle ici proposé n'est pas seulement celui du courage et de l'invention contre la soumission, comme cela figure chez Perrault, ou du jeune âge contre l'âge adulte, comme cela y figure aussi, mais de la ville et de la bourgeoisie contre la campagne et la pauvreté, ce qui n'y figure pas.

*Ils mangèrent d'un appétit qui faisait plaisir au père et à la mère (p. 210)*
Doré ne représente pas à proprement parler le repas des enfants, mais l'instant qui précède celui-ci : aussi

n'est-ce pas de voir leur progéniture repue que le père et la mère ici se réjouissent, mais du spectacle de son appétit phénoménal qu'ils s'amusent. Cet appétit fait en effet ressembler les enfants à des bêtes, serrés les uns contre les autres et vaguement rivaux comme peuvent l'être les rats ou les porcelets d'une portée, aussi voraces et soumis d'ailleurs que le chien et le chat qui se sont joints à eux. Tous en effet ont la même taille et donc le même âge, ce qui ne laisse pas de surprendre. Poucet est-il celui qui, debout sur la table, parvient à tendre son assiette au plus près de la cuillère maternelle ? On ne peut l'exclure, quoique Perrault ne distingue point le héros de ses frères, à cet instant de l'histoire.

*Une bonne femme vint leur ouvrir (p. 213)*
C'est depuis l'un de ses coins obscurs qu'est observée la scène, ce qui la rend assurément moins inquiétante : la terreur d'être exclu de la lumière est ici tempérée par le spectacle complet de toutes les nuances qui y ramènent. Et c'est aussi en étrangers que nous observons les massacres de taureaux et la chauve-souris géante cloués sur la façade de la maison de la « bonne femme » de Perrault, qui l'apparentent ici à quelque sorcière.

*« Je sens la chair fraîche, te dis-je encore une fois, reprit l'Ogre en regardant sa femme de travers » (p. 215)*
L'ambiguïté du texte est ici pleinement respectée : la « chair fraîche » repérée par l'Ogre n'est-elle pas, plutôt que celle de Poucet et de ses frères – absents de la scène –, celle de la femme de l'Ogre, que celui-ci regarde « de travers » ? La bestialité du personnage, établie dans le texte, est d'ailleurs tempérée par la correction de son costume et de celui de sa femme, comme aussi par l'éclat de la vaisselle qu'ils utilisent, composée de couverts à viroles, sans doute d'argent, et de cristaux.

Mais cette absence et cette apparence de raffinement ne rassurent guère. Car la confusion des échelles,
notamment entre le crâne de l'oiseau situé au premier
plan et la tête de pintade ou de faisan jetée devant la
main droite de la femme de l'Ogre, conduisent à
s'interroger sur la taille relative de Poucet et de ses
frères. Le squelette de l'oiseau allongé près de la fourchette, dont les pattes à demi pliées se développent à la
fois devant la cage thoracique et dans l'axe de la
colonne vertébrale, possède une évidence anthropo-
morphe qui apporte un début de réponse. Le spectacle
devant lequel Doré place ici les spectateurs du livre pré-
figure le sort qui attend les acteurs enfants de l'histoire.

*Il les tira de dessous le lit l'un après l'autre (p. 216)*

Le partage du féminin et du masculin, qui gouverne
l'histoire de Poucet dès lors que la femme de l'ogre
tente de résister aux exigences cruelles de son mari,
apparaît pleinement – car cette femme est non seulement attendrie mais douce, jeune et belle. En présentant l'ogre courbé, Doré renonce à lui donner en hauteur tout le développement qui pourrait montrer sa
supériorité physique sur Poucet et ses frères, mais il
caractérise la brutalité et l'aveuglement de ce qui
n'apparaît plus que comme un énorme ventre monté
sur de petites jambes.

*En disant ces mots, il coupa, sans balancer, la gorge à
ses sept filles (p. 220-221)*

L'appétit brutal de l'Ogre est en quelque sorte anti-
cipé par la voracité de ses filles, endormies au milieu
des os des volatiles dont elles viennent de se nourrir.
De telle sorte que l'horreur de la scène trouve un
début d'explication, sinon même de justification. Sans
détailler les « dents fort aiguës et fort éloignées l'une
de l'autre » que Perrault prête à ces créatures inquié-
tantes, Doré décourage cependant l'identification du
spectateur avec elles.

*Le Petit Poucet, s'étant approché de l'Ogre, lui tira doucement ses bottes (p. 224-225)*

La question de l'exacte proportion entre l'Ogre et le Petit Poucet, qui n'est pas clairement tranchée dans le texte de Perrault, est tout à fait essentielle dans les illustrations conçues par Doré. Mais cela de façon peu cohérente : si Poucet et ses frères sont parfois à peine longs comme le pied de l'Ogre, comme dans la planche de la découverte des enfants sous le lit, on conçoit mal que les bonnets de ceux-ci puissent être échangés avec les couronnes des filles de l'Ogre, comme il apparaît ensuite. La licence d'imagination de l'artiste n'est pas sans conséquence, ainsi qu'on le mesure ici, où le héros du conte a retrouvé sa plus petite dimension : en dessinant dans le coin gauche un rat proportionné à l'Ogre, Doré renverse le principe du gigantisme de celui-ci en nanisme de son héros.

# CHRONOLOGIE

**1559 :** Édit d'Écouen. Sacre de François II. Le chancelier de l'Hôpital écrit à propos de cet événement une épître latine au cardinal de Lorraine que traduira plus tard Charles Perrault.

**1560 :** Mort de François II. Avènement de Charles IX. (Pierre et Paquette Perrault donneront plus tard ces deux prénoms à leurs jumeaux.)

**1562 :** Début des guerres de Religion.

**1572 :** Saint-Barthélemy.

**1593-1594 :** Henri IV se convertit et fait son entrée à Paris.

**1596 :** Naissance de Descartes.

**1598 :** Édit de Nantes.

**1605 :** Construction de la première pompe « La Samaritaine », au Pont-Neuf. Charles Perrault sera chargé plus tard de sa réfection.

**1608 :** Pierre Perrault (bourgeoisie d'origine tourangelle), avocat au parlement de Paris, épouse, à la paroisse Saint-Étienne-du-Mont, Paquette Leclerc (bourgeoisie normande assez fortunée, apparentée à des nobles, les Lhéritier de Villandon).

**1609 :** Naissance de Jean Perrault, le futur « avocat sans causes ».

**1610 :** Assassinat d'Henri IV. Régence de Marie de Médicis.

**1611 :** Naissance de Pierre Perrault, le futur receveur général des Finances de Paris.
Gaufrédy, curé des Accoules, est brûlé comme sorcier.

**1613 :** Naissance de Claude Perrault, le futur « médecin-architecte ».

**1619 :** Saint Vincent de Paul aumônier des galères.

**1620-1622 :** Guerre contre les protestants.

**1624 :** Richelieu entre au Conseil du roi.

Naissance de Nicolas Perrault, le futur « docteur en Sorbonne ».

**1625-1627 :** Création par Richelieu de deux compagnies de navigation qui ont le monopole du commerce avec l'Amérique et les pays du Nord.

**1627 :** Le cardinal de Bérulle fait obligation à Descartes de se consacrer à la réforme de la philosophie.

**1628 :** « Je suis né le douzième janvier 1628 et né jumeau. Celui qui vint au monde quelques heures avant moi fut nommé François et mourut six mois après » (Charles Perrault, *Mémoires*).

**1629 :** Bérulle préside le Conseil de la reine mère.
Publication du *De motu cordis* de Harvey, médecin de la reine d'Angleterre.

**1633 :** Condamnation de Galilée.
Saint Vincent de Paul fonde l'ordre des Dames et Filles de la Charité.

**1634 :** Descartes, à la suite de la condamnation de Galilée, renonce à publier son *Traité du monde*.
Urbain Grandier est brûlé comme sorcier à Loudun.

**1636 :** Corneille : *Le Cid*.
Naissance de Nicolas Boileau.
Charles Perrault entre au collège de Beauvais, à Paris.

**1637 :** Descartes : *Discours de la méthode*.

**1638 :** Naissance de Louis Dieudonné, dauphin de France (le futur Louis XIV).

**1639 :** Début de l'insurrection des Va-nu-pieds en Normandie.

**1640 :** Corneille : *Horace*.

**1641 :** Parution de l'*Augustinus* de Jansen, évêque d'Ypres. Descartes : *Les Méditations*.
Publication, dans *Les Œuvres poétiques* de Desmarets de Saint-Sorlin, du premier conte que l'on peut attribuer à Perrault : *Les Amours de la règle et du compas*.

**1642 :** Mort de Richelieu.

**1643 :** Mort de Louis XIII. Régence d'Anne d'Autriche. Mazarin Premier ministre.

**1644 :** Arnaud : *La Fréquente Communion*. Descartes : *Les Principes de philosophie*. Scarron : *Typhon* (poème burlesque).
Charles Perrault, suivi de son fidèle ami Beaurain, tire la révérence à son régent (professeur de philosophie), décide

de préparer seul sa licence en droit, mais aussi de poursuivre librement sa formation littéraire, lisant « la Bible et presque tout Tertullien, l'*Histoire de France* de La Serre et Davila, Virgile, Horace, Corneille Tacite et la plupart des auteurs classiques » (*Mémoires*).

**1647** : Affaire de « la Paulette », texte qui met en question l'hérédité des offices. Début de la Fronde parlementaire.

**1648** : Victoire de Condé à Lens. Traités de Westphalie : la France acquiert la plus grande partie de l'Alsace.
La Fronde : insurrection et barricades à Paris. Fuite de la cour à Rueil.
Scarron : *Le Virgile travesti*, poème burlesque.
Nicolas Perrault soutient sa thèse de théologie : *Quis ostendet nobis bona.*
Charles Perrault, Beaurain, Nicolas et Claude, composent une parodie du chant VI de *L'Énéide* qui contient des vers peu aimables sur Mazarin.

**1649** : Fuite du jeune Louis XIV à Saint-Germain. Siège de Paris. Paix de Rueil et fin de la Fronde parlementaire. Fronde des princes. En Angleterre, révolution. Cromwell. Procès et exécution de Charles Ier.

**1650** : Mort de Descartes à Stockholm.

**1651** : Majorité légale de Louis XIV.
Scarron : *Le Roman comique.*
Charles Perrault soutient sa thèse de droit civil à Orléans ; il est reçu avocat (il ne plaidera que deux fois).

**1652** : Les principales frondes sont terminées, le roi fait une entrée triomphale à Paris.
Mort de Pierre Perrault, père de Charles.

**1653** : *Les Murs de Troie ou l'Origine du burlesque* (chant I), Paris, Chandourny, in-4°, 54 p. (œuvre commune de Charles Perrault et de ses frères Nicolas et Claude).

**1654** : Pierre Perrault achète l'office de receveur général des Finances de Paris. Charles devient son commis. C'est à cette époque qu'il découvre la poésie précieuse.

**1656** : Louis XIV danse dans le ballet *La Nuit.*
Nicolas Perrault défend Arnauld et les jansénistes en Sorbonne devant le chancelier Séguier. Les Perrault fréquentent les Vitart. Pascal : *Les Provinciales.*

**1657** : Condamnation des jansénistes : « Le formulaire ». Fermeture des « petites écoles » de Port-Royal.
Mort de Paquette Leclerc, mère de Charles Perrault.

La maison familiale de Viry, restaurée sur des plans dressés par Pierre et Charles, devient un lieu de rencontre de hauts fonctionnaires et de poètes (Pinchesne, Quinault). Charles est chargé de classer la bibliothèque de Germain Habert de Cerisy, achetée par son frère Pierre. Nicolas Boileau écrit sa première *Satire*.

**1658 :** Charles Perrault : *Le Portrait d'Iris* et *Portrait de la voix d'Iris*, poèmes précieux qui paraîtront un an plus tard dans le recueil *Divers Portraits* rassemblé pour Mlle de Montpensier (« la Grande Mademoiselle », cousine du roi).

**1659 :** Traité des Pyrénées avec l'Espagne, célébré par Charles dans une *Ode sur la paix*. Acquisition du Roussillon, de la Cerdagne et d'une partie de l'Artois.

Fouquet, qui depuis 1655 aménage le château de Vaux, y reçoit Mazarin, puis Louis XIV et Anne d'Autriche.

Molière : *Les Précieuses ridicules*. Racine : *L'Amasie*.

**1660 :** Restauration des Stuarts.

Mariage de Louis XIV avec l'infante d'Espagne, Marie-Thérèse, célébré par Charles dans une *Ode sur le mariage du roi* (les deux « odes » de circonstance sont agréées par Mazarin et imprimées).

Racine : *La Nymphe de la Seine*. Vitart la fait lire à Chapelain et à Charles Perrault.

Chapelain recommande chaudement Charles Perrault à Colbert. Intrigues contre Fouquet.

Perrault à la cour de Fouquet. *Dialogue de l'amour et de l'amitié*, Paris, Sercy, in-8°, 14 feuillets. Cette première pièce dans le goût précieux, *Le Dialogue de l'Amour et de l'Amitié*, avait d'abord été calligraphiée, comme l'*Adonis* de La Fontaine, pour le surintendant.

**1661 :** Charles Perrault : *Ode sur la naissance de Mgr le Dauphin* (jugée mauvaise par Racine) et *Le Miroir ou La Métamorphose d'Orante*, Grenoble, chez Galle, in-12°, 40 p. Arrestation de Fouquet. Colbert ministre.

**1662 :** Mort de Nicolas Perrault, le théologien.

**1663 :** Colbert aux Finances. Grande enquête démographique et économique sur les ressources de la France. Instruction du procès de Fouquet. Fondation de la « Petite Académie » (Chapelain, Bourzeis, Cassagne). Perrault passe une sorte d'examen probatoire (*Discours sur l'acquisition de Dunkerque*) et devient commis et secrétaire de Colbert.

Il entre au conseil des Bâtiments et à la Petite Académie comme secrétaire de séances (1 500 livres de rente), sur recommandation de Chapelain.

Publication par Chapelain de la liste des auteurs qui vont recevoir gratifications et pensions. Boileau n'y figure pas ; il compose sa *Satire VII* qui attaque Chapelain et *Sur la mort d'une parente* qui s'en prend à Claude Perrault.

**1664** : Colbert surintendant des Bâtiments.

Molière joue *Les Frères ennemis* de Racine.

Disgrâce de Pierre Perrault, le receveur général des Finances. Il a puisé dans les fonds de l'année pour se dédommager des remises du roi au peuple. Colbert l'oblige à démissionner. Charles tente en vain d'user de son crédit auprès du ministre.

**1665** : *Le Chapelain décoiffé*, œuvre collective des « débauchés de la Croix Blanche » (Racine, Boileau, La Fontaine, Furetière, etc.).

Autre parodie qui circule : *Le Colbert enragé*.

L'architecte Bernini dit le Bernin à Paris.

Racine : *Alexandre*, joué par la troupe de Molière, puis au Palais-Royal.

**1666** : Création de l'Académie des sciences. Claude Perrault fait partie de la première fournée d'académiciens.

Furetière : *Le Roman bourgeois*.

Intrigues pour la construction de la façade orientale du Louvre.

**1667** : Petit conseil du Louvre (Le Vau, Le Brun, Claude Perrault) : « affaire de la colonnade ». Le petit conseil obtient le départ du « cavalier Bernin » et se trouve chargé d'élaborer un nouveau projet de façade ; Charles attribuera ensuite à son frère Claude tout le mérite de la colonnade finalement édifiée, ainsi que des plans pour le nouvel Observatoire de Paris.

Boileau : *Satire IX* (contient une attaque contre les vers précieux de Charles Perrault).

**1668** : Charles est pensionné comme « premier commis des Bâtiments » ; publication de son poème *La Peinture*, qui fait l'éloge des artistes officiels du régime (dont Le Brun) ; il célèbre l'occupation de la Franche-Comté dans *Le Parnasse poussé à bout*, allégorie mythologique en prose et en vers adressée à Chapelain.

Relèvement des tarifs, notamment sur la laine et le drap :
guerre douanière entre l'Angleterre et la Hollande.

Racine : *Andromaque*.

Publication posthume à Mons de *La Morale des jésuites
extraite fidèlement de leurs œuvres*, de Nicolas Perrault.

Projet d'Orbay, sous le couvert de Le Vau, pour le Louvre.

Publication des *Satires* du sieur D\*\*\* (Boileau). Claude
Perrault accuse verbalement Boileau de lèse-majesté pour
les vers 224 de la *Satire IX* : « Midas, le roi Midas a des
oreilles d'âne. »

**1669 :** Concours de plans pour Versailles.

Mort de Jean Perrault.

La pension de Charles Perrault est portée à 2 000 livres.

Racine : *Britannicus*.

Boileau, assagi, devient le protégé de Mme de Montespan
et de son frère le duc de Vivonne.

**1670 :** Racine : *Bérénice* (dédiée à Colbert). Boileau : *Épître I*
(au roi).

Charles Perrault loge chez Colbert.

**1671 :** Charles Perrault : *Courses de têtes et de bagues faites
par le roi et par les princes et seigneurs*, in-f° IV, 104 p.,
volume luxueusement relié par l'Imprimerie royale avec
des gravures de Chauveau (l'illustrateur du premier
recueil des *Fables* de La Fontaine) et d'Israël Silvestre.
Perrault contribue aussi à un livre d'emblèmes illustré
d'eaux-fortes de Sébastien Le Clerc, *Tapisseries du roi où
sont représentés les quatre éléments et les quatre saisons*.

Élection de Charles Perrault à l'Académie française (23 nov.)
où il propose aussitôt des réformes ; le succès rencontré par
son *Discours de réception* est tel que la décision est prise de
rendre désormais publiques les séances de réception. Il
préside la commission pour le rajeunissement de l'orthographe et accélère le travail du dictionnaire.

Colbert, influencé par Chapelain et Perrault, refuse à Boileau le privilège pour l'*Art poétique*.

**1672 :** Guerre contre la Hollande.

Charles Perrault succède à Séguier comme chancelier de
l'Académie française désormais placée sous la protection
personnelle de Louis XIV et logée au Louvre. Il harangue
le roi à son retour de la campagne de Hollande. Il est
établi dans la charge créée pour lui de « contrôleur des
Bâtiments de Sa Majesté », qui lui vaut une forte pension.

Il épouse à l'âge de quarante-quatre ans Marie Guichon qui a dix-huit ans. La famille Colbert, les ducs de Chevreuse, de Noailles, de Beauvilliers assistent à la cérémonie. Racine : *Bajazet*.

**1673 :** Coalition contre la France. Affaire du droit de régale. Louis XIV soustrait à la Bibliothèque royale plusieurs centaines de volumes pour créer le premier fonds de la Bibliothèque de l'Académie, dont la gestion est confiée à Perrault qui inaugure ainsi le titre de « bibliothécaire de la Compagnie ».

Claude Perrault : traduction de Vitruve (dédiée à Colbert). En collaboration avec Charles, *Le Corbeau guéri par la cigogne*, conte en vers qui répond aux attaques de Boileau.

**1674 :** Vivonne présente Boileau au roi qui lui accorde le privilège refusé par Colbert et une pension de 2 000 livres. Publication des *Œuvres diverses* qui contiennent l'*Art poétique* et *Le Lutrin*.

Charles et Pierre Perrault : *Critique de l'Opéra ou Examen de la tragédie [de Quinault et Lully] intitulée Alceste ou le Triomphe d'Alcide* (les Perrault veulent montrer la supériorité de la « tragédie lyrique » ou opéra comme œuvre « moderne » sur la pièce grecque ; Racine répond vertement dans la préface d'*Iphigénie*, créée la même année et publiée en 1675).

Le *Recueil de divers ouvrages en prose et en vers* (Paris, J. Le Laboureur, in-4°, XII, 316 p.) regroupe toute la production littéraire de Charles Perrault jusqu'en 1675, dont le *Discours de réception à l'Académie* et *Le Labyrinthe de Versailles* (deuxième édition en 1676).

Pierre Perrault, *De l'origine des fontaines*.

Mort de Chapelain.

**1675 :** Baptême du premier fils de Perrault : Charles Samuel.

Mme de Thianges fait cadeau à M. du Maine (fils du roi et de Mme de Montespan) de *La Chambre dorée* – appelée aussi *La Chambre du sublime* –, qui figure les grands poètes du siècle (Racine, Boileau, La Fontaine).

Boileau : *Épître IX* (contient aussi une attaque contre Perrault).

**1676 :** Baptême du deuxième fils Perrault : Charles.

Claude Perrault : *Mémoire pour servir à l'Histoire naturelle des animaux*.

Racine : édition collective de ses tragédies (le poète élimine de ses préfaces toute allusion polémique).

**1677** : Racine : *Phèdre*.

Boileau : *Épître VII* (à Racine).

Racine épouse Catherine de Romanet.

Racine et Boileau sont nommés « historiographes du roi » (pension supplémentaire de 2 000 écus et une indemnité de 1 200 livres pour s'équiper).

**1678** : Paix de Nimègue.

Vauban, commissaire du roi aux fortifications.

Pierre Perrault : traduction du poème burlesque italien de Tassoni : *La Secchia rapita* (*Le Seau enlevé*).

Charles Perrault, directeur de l'Académie française, harangue le roi après la prise de Cambrai.

21 mars : naissance de Pierre, le troisième fils de Charles Perrault, qui signera l'épître dédicatoire des *Contes* en prose (1695).

Mort de Marie Guichon, femme de Charles Perrault : celui-ci reste seul à élever quatre jeunes enfants (on ignore le prénom et la date de naissance exacte de sa fille, à qui Mlle Lhéritier a dédié en 1695 le conte *Marmoisan ou l'Innocente tromperie*).

**1679** : Affaire des poisons. La chambre ardente. Interrogatoire de la Voisin.

Éditions des *Tapisseries du roi* (texte de Charles Perrault).

Pierre Perrault : *Critique du livre de Don Quichotte* (inédit, partiellement publié en 1930 par Maurice Bardon).

**1680** : Colbert commence à remplacer Perrault, qui cesse de toucher sa pension de « premier commis », par son propre fils Dormoy.

**1681** : Campagne d'Alsace. Annexion de Strasbourg. Début des dragonnades.

Élu directeur de l'Académie, Perrault publie un *Poème à la louange de M. Le Brun*, et met fin à son service auprès de Colbert, avec lequel il se brouille l'année suivante.

**1682** : Déclaration des Quatre Articles (libertés de l'Église gallicane). Ordonnance relative aux sortilèges et aux poisons, qui marque un progrès dans la législation concernant la sorcellerie.

Naissance du duc de Bourgogne. *Le Mercure galant* lui consacre un numéro spécial.

Charles Perrault : *Le Banquet des dieux pour la naissance du duc de Bourgogne* (petit-fils de Louis XIV) [Coignard in-4°, 24 p.] et *Le Parnasse poussé à bout*.

**1683 :** Mort de Colbert remplacé par Louvois à la surintendance des Bâtiments. Son homme de confiance est M. de La Chapelle, neveu de Boileau.

Charles Perrault perd sa charge, est exclu par Louvois de la « Petite Académie » au profit de Félibien et n'exerce plus aucune fonction officielle. Son nom est rayé de la liste des gens de lettres pensionnés.

Claude Perrault : *L'Ordonnance des cinq espèces de colonnes*. La Bruyère est reçu à l'Académie française.

Racine et Boileau librettistes (*Phaéton*). Racine traduit des extraits du *Banquet* de Platon, pour l'abbesse de Fontevrault.

**1684 :** Trêve de Ratisbonne.

Boileau est élu à l'Académie française.

Claude Perrault : *Essais de physique* et deuxième édition de sa traduction de Vitruve.

Charles Perrault : *Épître chrétienne sur la pénitence*, lue à l'Académie française et bien reçue de Bossuet.

**1685 :** Révocation de l'édit de Nantes, saluée par Perrault dans une *Ode aux nouveaux convertis*, et généralisation des dragonnades. Boileau et Racine à la « Petite Académie » : ils changent les « inscriptions » (devises) de Charpentier et de Perrault.

Élection de La Fontaine à l'Académie française.

Exclusion de Furetière qui a obtenu irrégulièrement un privilège pour son dictionnaire. Perrault fait partie de la commission qui l'exclut. Racine et Boileau prennent sa défense auprès du roi.

Charles Perrault traduit les *Hymnes* (latins) de Santeuil.

**1686 :** Fontenelle : *Entretiens sur la pluralité des mondes*. Furetière : *Factums* (l'un d'eux ridiculise Perrault).

Charles Perrault : *Saint Paulin, évêque de Nole*, dédié à Bossuet, avec une *Épître chrétienne sur la pénitence* et l'*Ode aux nouveaux convertis* (Coignard, in-8°, XXXVI, 106 p.).

**1687 :** Charles Perrault lit à l'Académie *Le Siècle de Louis le Grand*, manifeste en faveur des Modernes (publié la même année) qui va relancer la vieille querelle entre les Anciens et les Modernes. Protestations de Boileau. Soutenu par Fontenelle, Perrault lui dédie son poème *Le Génie* (in-8°, 8 p.).

Composition probable du conte burlesque *La Métamorphose du cû d'Iris en astre*. Fontenelle : *Histoire des oracles*.

**1688 :** Guerre contre la Ligue d'Augsbourg.

Fontenelle : *Digression sur les Anciens et les Modernes*.

Charles Perrault : premier volume du *Parallèle des Anciens et des Modernes en ce qui concerne les arts et les sciences* (tome I, Coignard in-12°, XI, 252).

*Le Mercure galant* imprime dans son édition de décembre puis en édition séparée une *Ode à Mgr le Dauphin sur la prise de Philisbourg*.

Mort de Claude Perrault, d'une maladie infectieuse contractée lors de la dissection d'un chameau au Jardin des Plantes.

**1689 :** Racine : *Esther*.

Charles Perrault achève sa traduction des *Hymnes* de Santeuil. Il correspond avec Huet à propos de Descartes et avec Philippe de Chaumont, évêque de Dax, sur « les effets surhumains et les effets surnaturels ».

**1690 :** Lecture en petit comité d'*Athalie* par Racine et de la *Satire X* (*Les Femmes*) par Boileau.

Charles Perrault : deuxième volume du *Parallèle : En ce qui concerne l'éloquence*, XX, 399.

Préface à *Instructions sur les jardins fruitiers et potagers* de La Quintinie ; *Ode à l'Académie française* (paraît dans *Le Mercure galant* de janvier 1691) ; *La Chasse* (poème) ; *Les Fontanges* (comédie restée inédite).

**1691 :** Élection de Fontenelle, partisan des Modernes et allié de Perrault, à l'Académie française.

Racine : *Athalie*.

Charles Perrault : *Alarmes au sujet du roi qui s'expose trop dans les batailles* (ode sur la prise de Mons) ; *L'Oublieux* (comédie).

Lecture à l'Académie de *La Marquise de Salusses ou la Patience de Griselidis*, nouvelle en vers, publiée très vite ensuite dans le *Recueil de plusieurs pièces d'éloquence et de poésie*, édité par l'Académie, où figure aussi une épître *À Monsieur\*\*\** en lui envoyant *La Marquise de Salusses* et différents textes de Perrault, dont l'épître *À Monsieur le président Rose*. La nouvelle est ensuite publiée séparément chez Jean-Baptiste Coignard, l'éditeur habituel de Perrault.

Lecture à l'Académie de *La Création du monde, poème* (premier chant d'*Adam*, épopée chrétienne), publié l'année suivante et réimprimé en 1693 dans un *Recueil* académique.

**1692 :** Défaite navale de La Hougue, victoire de Steinkerque.

Charles Perrault : troisième volume du *Parallèle : En ce qui regarde la poésie*, XII, 355, avec, en fin de volume, une lettre à Boileau conçue pour servir de conclusion à l'ouvrage.

Huet réfute les thèses du *Parallèle* dans une *Dissertation* en forme de lettre.

**1693 :** Récolte catastrophique. Flambée des prix.

Boileau : *Ode sur la prise de Namur*, précédée d'un *Avis au lecteur* qui se moque de Perrault et évoque la « bizarrerie » de sa famille.

Charles Perrault riposte par une *Ode au roi* précédée d'une *Lettre à M.D.* Il lit à l'Académie sa traduction en prose du *Dialogue d'Hector et d'Andromaque tiré du sixième livre de l'Iliade,* qui doit permettre une plus juste comparaison des Anciens et des Modernes (publié la même année avec différentes pièces polémiques).

Parution des *Souhaits ridicules*, deuxième conte en vers, dans *Le Mercure galant* de novembre.

**1694 :** La plus terrible famine du siècle.

Boileau : *Satire X (les Femmes)* en édition séparée (ridiculise le *Saint-Paulin* de Perrault) ; *Œuvres diverses* qui contiennent les neuf premières *Réflexions critiques sur quelques passages de Longin* (réponse aux thèses du *Parallèle*) et plusieurs épigrammes qui attaquent Perrault.

Charles Perrault : *L'Apologie des femmes* (in-4°, XXIV, 16), poème précédé d'une longue préface polémique envers Boileau, et *Le Triomphe de Sainte-Geneviève.* Commence un recueil de *Pensées chrétiennes.*

La querelle s'envenime ; des amis communs proposent un arbitrage. Celui d'Arnauld est accepté, aussi bien par Racine et Boileau que par Perrault. Arnauld se prononce contre Perrault par une lettre qui circule dans Paris avant de parvenir à Perrault. Il s'incline et commence ses *Pensées chrétiennes.* Mort d'Arnauld.

Publication du *Dictionnaire de l'Académie française* (l'épître liminaire est de Charles Perrault qui a tenu partiellement compte des observations malveillantes de Racine et de Boileau sur une première version).

*Griselidis* et *Les Souhaits ridicules* paraissent avec *Peau d'Âne* (peut-être édité séparément à la fin de 1693) chez Coignard dans un volume portant la mention « seconde édition ». Une troisième édition – rarissime – paraît, comportant une importante préface polémique.

**1695 :** Quatrième édition des trois contes en vers, avec la préface.

Manuscrit d'apparat (reliure aux armes en maroquin rouge) des cinq premiers *Contes* en prose : *La Belle au bois dormant, Le Petit Chaperon rouge, La Barbe bleue, Le Maître Chat ou le Chat botté, Les Fées*, précédés d'une dédicace « À Mademoiselle », petite-nièce de Louis XIV, signée « P. P. » pour « Pierre Perrault », fils de l'académicien.

Mlle Lhéritier (nièce de Charles Perrault) : *Œuvres mêlées*, où figurent plusieurs contes, dont *Marmoisan*, dédié à la fille de Perrault (comprend une allusion à la préparation du recueil des contes en prose, attribué au frère de la dédicataire).

Charles Perrault : *Contes en vers*, regroupant *Griselidis, Peau d'Âne* et *Les Souhaits ridicules* avec une nouvelle préface.

Mode des contes. Dans *Le Mercure galant* de février, publication du *Petit Marquis – Marquise de Banneville*, de Choisy.

**1696 :** *La Belle au bois dormant* paraît dans le numéro de février du *Mercure galant*. Quiproquo : la rédaction l'attribue à l'auteur du *Petit Marquis – Marquise de Banneville*, puis rectifie dans le numéro de septembre.

Parution d'*Inès de Cordoue*, nouvelle historique de Catherine Bernard qui contient deux contes dont un intitulé *Riquet à la Houppe*.

Charles Perrault : première série des *Hommes illustres qui ont paru en France pendant ce siècle* (tome I) in-f° VII, 100, ensemble de portraits gravés et notices en formes de « caractères », et *La Gloire mal entendue*.

Septembre : la préparation chez Barbin (l'éditeur des principaux de nos « classiques » mais aussi des petits volumes de littérature galante dénommés par dérision des « barbinades ») d'un volume « de *Contes de ma mère l'Oye* par M. Perrault » est ébruitée.

Octobre : un privilège officiel pour des *Récits ou Contes du temps passé* est accordé au « sieur P. Darmancour » (pour « Perrault Darmancour, nom usuel de Pierre, fils de l'Académicien) et cédé à l'éditeur Claude Barbin.

Racine secrétaire du roi. Il lui fait la lecture de Plutarque.

Reprise d'*Esther* et d'*Athalie* à Saint-Cyr.

Parution à la fin de l'année ou au début de 1697 des trois premiers tomes des *Contes de fées* de Mme d'Aulnoy.

**1697 :** Paix de Ryswick.

Publication des *Histoires ou contes du temps passé, avec les moralités*, in-12°, Barbin, VI, 229, 3 (aux cinq contes du manuscrit de 1695, repris avec des variantes et des additions parfois importantes, s'ajoutent trois nouveaux contes : *Riquet à la Houppe, Cendrillon, Le Petit Poucet*). Le volume est soigneusement composé, illustré d'un frontispice signé Clouzier, d'une vignette devant l'épître dédicatoire, et d'une autre devant chaque conte. Une deuxième édition paraît dans l'année chez le même éditeur, avec quelques corrections, et deux éditions subreptices en Hollande.

Charles Perrault : quatrième volume du *Parallèle : Où il est traité de l'astronomie*, etc. XVI, 321. Il traduit du latin une *Ode de Boudart sur Marly* et des *Stances* de Santeuil sur un portrait de Bossuet. *Adam ou la Création de l'homme, sa chute et sa réparation*, poème chrétien, in-8°, X, 93 (augmenté de trois chants).

Avril : au cours d'une querelle, Pierre Perrault blesse mortellement un jeune voisin ; Charles, tuteur de son fils mineur, offre à titre de dédommagement une forte somme à la mère de la victime ; l'affaire passe en jugement (1698) et Perrault évite la saisie de ses biens.

**1698 :** Date probable d'une lettre de Boileau à Perrault lui expliquant comment il aurait pu gagner la guerre entre les Anciens et les Modernes.

Charles Perrault : lettre à Bossuet approuvant sa lutte contre le quiétisme ; *Ode à M. de Callières sur la négociation de la paix de Ryswick*.

**1699 :** Mort de Racine. Fénélon : *Les Aventures de Télémaque*.

Charles Perrault : traduction des *Fables de Faërne* « mises en vers », avec une dédicace à l'abbé de Dangeau, Coignard, in-12° (cinq livres de vingt fables). Entame la rédaction des *Mémoires de ma vie*.

L'abbé de Villiers publie des *Entretiens sur les contes de fées* avec un commentaire des contes en prose de Perrault.

**1700 :** Charles Perrault : *Les Hommes illustres* (2ᵉ vol.) in-f° IV, 100. *Ode à l'évêque de Troyes ; Plusieurs machines de feu M. Perrault.* Il prépare aussi un *Recueil de dessins d'architecture* (inédit) destiné à prouver que son frère Claude est bien l'auteur de la Colonnade du Louvre.

Mars : mort de Pierre Perrault Darmancour aux armées (lieutenant dans le régiment du Dauphin).

**1701 :** Guerre de la succession d'Espagne. Philipe d'Anjou, petit-fils de Louis XIV, devient roi d'Espagne. Charles Perrault célèbre l'événement dans une *Ode au roi Philippe veillant sur l'Espagne* ; il rédige *Le Faux Bel Air* et le conte *La Canne à sucre.* Il obtient un privilège pour le *Recueil de ses divers ouvrages tant en prose qu'en vers*, édition distincte du *Recueil* de 1675 et qui ne paraîtra qu'en 1729, sous le titre *Œuvres posthumes.*

Boileau : *Œuvres diverses* (nouvelle édition dite La Favorite) ; contient pour la première fois la lettre d'Arnauld et celle de Boileau à Perrault.

**1702 :** Révolte des Camisards dans les Cévennes.

Charles Perrault donne une *Ode pour le roi de Suède* (Charles XII) et intervient souvent à l'Académie sur des problèmes de grammaire.

**1703 :** Publication de la satire du *Faux Bel Esprit* avec *Le Roseau du nouveau monde.*

15 ou 16 mai : mort de Charles Perrault.

**1715 :** Première édition des *Œuvres poétiques* d'Étienne Pavillon, contenant *La Métamorphose du cû d'Iris en astre.*

**1724 :** Édition des contes en prose qui, pour la première fois, attribue le recueil à Charles Perrault.

**1729 :** Première édition anglaise des *Contes* de Perrault (traduction Robert Sambert).

**1748 :** Publication des *Passe-temps poétiques* avec plusieurs poèmes inédits de Charles Perrault.

**1757 :** Publication, par l'architecte Patte, des *Mémoires de ma vie* de Charles Perrault (version altérée et incomplète).

**1767 :** John Newbery publie à Londres *Goody Two Shoes*, adaptation par Olivier Goldsmith de *Cendrillon.* Énorme succès.

**1781 :** Publication chez l'héritier de John Newbery de *Mother Goose Melody.*

**1785-1789** : *Le Cabinet des Fées*, 31 volumes in-8°. Le premier contient les *Contes* de Perrault, considéré comme le créateur du genre.

**1826** : Collin de Plancy publie les *Œuvres choisies* de Charles Perrault. Début de la réhabilitation des *Contes* de Perrault par les romantiques (édition avec préface du baron Walckenauer, en 1842, enthousiasme de Charles Nodier et de Balzac, entre autres).

**1833** : Loi Guizot sur l'instruction primaire. Les *Contes* de Perrault deviennent le « best-seller » des éditions populaires et de l'imagerie d'Épinal.

**1868** : Publication par Hippolyte Lucas de *L'Oublieux*, petite comédie en trois actes, datant de 1691.

**1871** : Le *Dictionnaire critique de biographie et d'histoire* par A. Jal rétablit la vérité sur la date de naissance de Pierre Darmancour et sur l'éventualité de sa participation à la collecte des fameux contes.

**1887** : V. Fornel publie *Les Fontanges*, un acte de Charles Perrault, dans *Petites Comédies rares et curieuses du XVIIᵉ siècle*, tome II.

**1888** : Édition des *Contes* de Perrault par Andrew Lang, à Oxford.

**1904-1906** : Paul Bonnefon publie, dans la *Revue d'histoire littéraire de la France*, *L'Énéide travestie* (œuvre de jeunesse des frères Perrault), le second chant des *Murs de Troie* de Claude Perrault et d'autres documents sur Charles Perrault.

**1909** : Édition intégrale des *Mémoires de ma vie* de Charles Perrault et du *Voyage à Bordeaux* de Claude Perrault.

**1923** : *Les Contes de Perrault et les récits parallèles* par Saint-Yves.

**1953** : Découverte et vente aux enchères du manuscrit des *Contes*, daté de 1695 et qui, acheté par la Pierpont Morgan Library, est édité en 1956, avec une introduction et des notes de Jacques Barchilon.

**1972** : Attribution à Charles Perrault de deux contes inconnus : *Les Amours de la règle et du compas* et *La Métamorphose du cû d'Iris en astre*.

**1989** : *Contes* célèbres, inconnus et inédits de Charles Perrault (Flammarion), édition de Marc Soriano.

**1990** : Novembre : publication du conte inconnu de Perrault, *Métamorphose d'un berger en mouton*, dans *Europe*.

# BIBLIOGRAPHIE

## ÉDITIONS DES ŒUVRES DE PERRAULT

### Contes

Marc Soriano a donné chez Flammarion deux éditions des *Contes* : la première en 1989, avec des notes interprétatives en forme de « lexique » ; la seconde en 1991, dans la collection « GF-Flammarion », avec une riche anthologie de textes de Perrault en marge des *Contes* (elle reste à ce jour l'ensemble le plus complet – Marc Soriano retenant comme « contes » toutes les œuvres narratives de Perrault).

Une reproduction en fac-similé du manuscrit de 1695 contenant les cinq premiers contes en prose a été établie par Jacques Barchilon : *Perrault's Tales of Mother Goose. The Dedication Manuscript of 1695. Reproduced in Collotype Facsimile with Introduction and Critical Text*, New York, The Pierpont Morgan Library, 1956, 2 vol.

Les éditions originales des *Contes en vers* et des *Histoires* en prose se trouvent référencées par Jean-Pierre Collinet dans son édition : Gallimard, coll. « Folio », 1981, p. 363-366.

### Autres œuvres de Perrault

*Le Dialogue de l'Amour et de l'Amitié*, dans les annexes de l'édition Gilles Rouger des *Contes*, Garnier Frères, coll. « Classiques Garnier », 1967, offrant également un conte de Marie-Jeanne Lhéritier, *Les Enchantements de l'éloquence*, sur le canevas des *Fées*, et *Riquet à la Houppe* de Catherine Bernard qu'on comparera utilement avec la version de Perrault.

*Hommes illustres qui ont paru en France pendant ce siècle, avec leurs portraits au naturel*, 1698 ; éd. D.J. Culpin, Tübingen, Biblio 17, vol. 142, Gunther Narr Verlag, 2003.

*Mémoires de ma vie*, précédés d'un essai d'Antoine Picon, « Un moderne paradoxal », Macula, coll. « Art & Histoire », 1993, et suivis de documents relatifs aux dessins d'architecture de Claude Perrault annotés par Charles.

*Le Miroir ou la Métamorphose d'Oronte*, *La Peinture* et *Le Labyrinthe de Versailles*, à la suite de l'éd. J.-P. Collinet des *Contes*, Gallimard, coll. « Folio », p. 203 *sq.*

*Parallèle des Anciens et des Modernes*, 1688-1697, 4 tomes ; Genève, Slatkine Reprints, 1979.

*Pensées chrétiennes*, éd. J. Barchilon et C. Velay-Vallantin, Paris, Seattle, Tübingen, Papers on French Seventeenth Century Literature/Biblio 17, 1987.

*Le Siècle de Louis le Grand*, 1687 ; un large extrait est reproduit dans l'anthologie procurée par Marc Fumaroli, *La Querelle des Anciens et des Modernes*, Gallimard, coll. « Folio Classique », 2001, p. 257-273.

## ÉTUDES SUR LE CONTE COMME GENRE ET SUR LE MERVEILLEUX

### Ouvrages

DEULIN (Charles), *Les Contes de ma mère l'Oye avant Perrault*, Paris, Dentu, 1879 ; Genève, Slatkine Reprints, 1969 (avec la trad. fr. des récits parallèles de Straparole et Basile).

STORER (Mary Elizabeth), *La Mode des contes de fées (1685-1700)*, Champion, 1928.

JOLLES (André), *Formes simples* [*Einfachen Formen*, 1930], trad. fr. Seuil, coll. « Poétique », 1972, p. 173-175 : « Le conte ».

DELARUE (Paul), *Le Conte populaire français. Catalogue raisonné des versions françaises et des pays de langue française*, t. I, Éditions Érasme, 1957 ; t. II et t. III par Marie-Louise Tenèze, Maisonneuve et Larose, 1964 et 1977.

PROPP (Vladimir), *Morphologie du conte*, Seuil, coll. « Poétique », 1965 ; rééd. coll. « Points Essais », 1970.

# Bibliographie

BARCHILON (Jacques), *Le Conte merveilleux français de 1690 à 1790*, Champion, 1975, chap. II, p. 13-36 : « Charles Perrault, le conteur classique ».

BETTELHEIM (Bruno), *Psychanalyse des contes de fées*, Robert Laffont, 1976 ; rééd. Hachette, coll. « Pluriel », 1979.

SIMONSEN (Michèle), *Le Conte populaire*, PUF, coll. « Littératures modernes », 1984.

–, *Le Conte populaire français*, PUF, coll. « Que sais-je ? », 1985 (2e éd.).

DARNTON (Robert), *The Great Cat Massacre And Other Episodes in French Cultural History*, New York, Vintage Book, 1984, chapitre intitulé « The meaning of Mother Goose ».

ROBERT (R.), *Le Conte de fées littéraire en France de la fin du XVIIᵉ à la fin du XVIIIᵉ siècle*, Champion, 2002.

SERMAIN (Jean-Paul), *Le Conte de fées de Perrault à Cazotte*, Desjonquères, 2005.

## Articles

BUTOR (Michel), « La balance des fées », *Cahiers du Sud*, 324, 1954, p. 183-195.

BARCHILON (Jacques), « *Précieux* éléments in the fairy tale of the seventeenth century », *L'Esprit créateur*, 3, 1963, p. 99-107.

–, « The æsthetics of the fairy tale », dans *La Cohérence intérieure. Hommage à J.D. Hubbert*, textes réunis par J. Van Baelen et D.L. Rubin, J.-M. Place Éditeur, 1977.

HUBBERT (J.D.), « Aspects de la fiction et de la vraisemblance à travers romans et contes merveilleux », *PFSCL*, 8, hiver 1977-1978, p. 13-24.

SERMAIN (Jean-Paul), « La parodie dans les contes de fées (1693-1733) : une loi du genre ? », dans I. Landy-Houillon et J. Ménard (éds), *Actes du colloque du Mans (1986). Burlesques et formes parodiques*, Paris, Seattle, Tübingen, Papers on French Seventeenth Century Literature/Biblio 17, vol. 33, 1987, p. 541-552.

## ÉTUDES GÉNÉRALES SUR PERRAULT ET SES *CONTES*

### *Bibliographie*

MALARTE (Claire-Lise), *Perrault à travers la critique depuis 1960*, Paris, Seattle, Tübingen, Papers on French Seventeenth Century Literature, 1989 (bibliographie analytique et critique).

### *Études biographiques*

HALLAYS (André), *Les Perrault*, Perrin, 1926, p. 197-239 : « La vieillesse de Charles Perrault et les *Contes* ».

SORIANO (Marc), *Le Dossier Perrault*, Hachette, 1972 (documents relatifs au « clan Perrault »).

BARCHILON (Jacques) et FLINDERS (Peter), *Charles Perrault*, Boston, Twayne Publishers, 1981.

*Europe*, nov.-déc. 1990 : *Charles Perrault* (articles de B. Didier, N. Catach, N. Fabre, J. Perrot, J. Gaucheron et L. Marin, avec le livret d'un court opéra de Pierrette Fleutiaux, *La Femme de l'Ogre*, et un conte attribué par M. Soriano à Perrault, *Métamorphose d'un berger en mouton*).

### *Préfaces et essais sur les* Contes

COLLINET (Jean-Pierre), préface aux *Contes* de Perrault, Gallimard, coll. « Folio Classique », 1981.

SORIANO (Marc), *Les Contes de Perrault. Culture savante et traditions populaires*, Gallimard, coll. « Bibliothèque des idées », 1968 ; 2ᵉ éd. revue et corrigée, augmentée d'une table ronde avec J. Le Goff, M. Soriano, E. Le Roy Ladurie, A. Burguière (initialement publiée dans *Annales. ESC*, mai-juin 1970), Gallimard, coll. « Tel », 1977, rééd. 1984.

ZUBER (Roger), préface aux *Contes* de Perrault, Imprimerie nationale, coll. « La Salamandre », 1987.

SIMONSEN (Michèle), *Perrault. Contes*, PUF, coll. « Études littéraires », 1992.

VELAY-VALLANTIN (Catherine), *L'Histoire des contes*, Fayard, 1992.

# Bibliographie

LEWIS (Philip), *Seeing Through the Mother Goose Tales. Visual Turns in the Writigns of Charles Perrault*, Stanford (Californie), Stanford University Press, 1996.

*Marvels and Tales. Special Issue on Charles Perrault*, 5, 2, déc. 1991, éd. C. Velay-Vallantin.

*Tricentenaire Charles Perrault. Les grands contes du XVIIᵉ siècle et leur fortune littéraire*, sous la direction de J. Perrot, Paris, In Press Éditions, 1998 (publication de l'Institut international Charles Perrault, qui rassemble plusieurs dossiers d'articles relatifs à la fortune du recueil de Perrault et du genre lui-même, avec une section sur les contes de Mme d'Aulnoy).

ESCOLA (Marc), *Commentaires des Contes de Charles Perrault*, Gallimard, coll. « Foliothèque », 2005.

## Articles

DELARUE (Paul), « Les contes merveilleux de Perrault et la tradition populaire », *Bulletin folklorique de l'Île-de-France*, six articles, de janvier-mars 1951 à juillet-septembre 1953.

BARCHILON (Jacques), « L'ironie et l'humour dans les *Contes* de Perrault », *Studi francesi*, 32, mai-août 1967, p. 285-270.

ARIÈS (Philippe), « At the point of origin », *Yale French Studies*, 1969, p. 15-23.

BELLEMIN-NOËL (Jean), « Contes et mécomptes », *Critique*, mars 1969, p. 250-264 (compte rendu de l'ouvrage de M. Soriano).

LOSKOUTOFF (Yvan), « La surenchère enfantine autour des *Contes* de Perrault », *XVIIᵉ Siècle*, 153, oct.-déc. 1986, p. 343-350.

BARCHILON (Jacques), « De l'interprétation psychanalytique des *Contes* de Perrault », *Papers on French Seventeenth Century Literature*, 30, 1987, p. 13-27.

MALARTE (Marie-Lise), « Les *Contes* de Perrault, œuvre "moderne" », dans L. Godard de Donville (éd.), *D'un siècle à l'autre. Anciens et modernes*, Actes du XVIᵉ colloque du CMR 17 (janv. 1986), Marseille, 1987, p. 91-100.

ESCOLA (Marc), « La "narration enjouée". Vraisemblance et merveilleux dans les contes en prose de Perrault », dans D. Souiller et A. Duprat (éds), *La Vraisemblance à l'âge classique*, Dijon, Publication du groupe « Interactions culturelles européennes », 2004, p. 249-274.


## ÉTUDES DE CONTES PARTICULIERS

Certains des ouvrages précédemment signalés consacrent parfois un chapitre à un conte déterminé. Le livre de Marc Soriano offre dans sa deuxième partie un chapitre distinct pour chaque conte envisagé du point de vue de ses possibles sources (*Les Contes de Perrault*, Gallimard, 1977, p. 75 *sq.*) ; Michèle Simonsen donne de même une analyse très succincte de chaque conte (*Perrault. Contes*, PUF, 1992, p. 28 *sq.*) ; Georges Jacques propose une analyse interne de l'ensemble des contes en vers et en prose dans « Au siècle de Propp, Soriano, Bettelheim. Les *Contes* de Perrault, encore et toujours de la littérature » (*Recherches sur le conte merveilleux*, sous la dir. de G. Jacques, Louvain-la-Neuve, Université catholique de Louvain, 1981, p. 7-55) ; le livre de Jean Bellemin-Noël (*Les Contes et leurs fantasmes*, PUF, coll. « Écriture », 1983), consacré aux contes des Grimm, offre pour *La Belle au bois dormant* et *Cendrillon* une comparaison avec la version de Perrault. L'ouvrage de Marc Escola (Foliothèque, 2005) propose des commentaires suivis de plusieurs contes, dont *Le Chat botté*, *La Belle au bois dormant*, *Cendrillon*, *Le Petit Poucet* et *Les Fées*. L'article de Louis Marin, « La cuisine des fées or the culinary sign in the tales of Perrault » (*Genre*, 16, 4, 1983, p. 477-492), refondu et augmenté dans *La Parole mangée et autres essais théologico-politiques* (Klincksieck, 1986), porte sur *La Belle au bois dormant*, *Le Petit Chaperon rouge*, *Riquet à la Houppe* et *Le Petit Poucet*. Les autres articles de Louis Marin relatifs à des contes isolés figurent ci-dessous.


## Contes en vers

*Griselidis*

FARELL (Michèle), « *Griselidis* : issues of gender, genre and authority », *Actes de Banff (1986)*, Biblio-17, 10, 1987, p. 97-120.

# Bibliographie

## Peau d'Âne

DÉMORIS (René), « Du littéraire au littéral dans *Peau d'Âne* de Perrault », *Revue des sciences humaines*, t. XLII, n° 166, 1977, p. 261-279.

MARIN (Louis), « La voix d'un conte : entre La Fontaine et Perrault, sa récriture », *Critique*, 394, mars 1980, p. 333-342.

–, « Monnaie royale et portrait princier », dans *Le Portrait du roi*, Minuit, 1981, p. 169-205.

BELLEMIN-NOËL (Jean), « Une Peau d'Âme ? », *Eidolon*, 30, oct. 1986, p. 34-43.

Marin (Louis), *Des pouvoirs de l'image. Gloses*, Seuil, coll. « L'ordre philosophique », 1993, p. 123-132 : « Amours paternelles. Charles Perrault, *Peau d'Asne*, conte ».

## Les Souhaits ridicules

MARIN (Louis), « Manger, parler, aimer dans les *Contes* de Perrault », *Papers on French Seventeenth Century Literature*, 30, p. 29-39 ; repris dans *La Parole mangée et autres essais théologico-politiques*, Klincksieck, 1986.

# Contes en prose

## Frontispice

MARIN (Louis), *Lectures traversières*, Albin Michel, coll. « Bibliothèque du Collège international de philosophie », 1992, p. 17-25 : « Une lisière de la lecture » (reprise d'un article initialement paru dans *L'Esprit créateur*, XXVII, 3, 1987, dans *Textuel*, Publications de l'université de Paris-VII, 1990, et dans la revue *Europe*, ci-dessus).

## La Belle au bois dormant

FROLICH (Juliette), « Charles Bovary et *La Belle au bois dormant* », *Revue romane*, XII, 2, 1977, p. 202-209 (lecture intertextuelle de la scène de rencontre).

RIGOLOT (François), « Les songes du savoir, de la "belle endormie" à la "Belle au bois dormant" », *Littérature*, 58, mai 1985, p. 91-107.

BARCHILON (Jacques), « Vers l'inconscient de *La Belle au bois dormant* », *Cermeil*, II, 5, février 1986, p. 88-92.

BRODY (Jules), « Charles Perrault, conteur *du* moderne », dans L. Godard de Donville (éd.), *D'un siècle à l'autre. Anciens et modernes*, Actes du XVIᵉ colloque du CMR 17 (janv. 1986), Marseille, 1987, p. 79-90.

## Le Petit Chaperon rouge

RODRIGUEZ (Pierre), « L'éveil des sens dans *Le Petit Chaperon rouge* », *Littérature*, 47, oct. 1982, p. 41-51.

BRICOUT (Bernadette), « Les deux chemins du petit chaperon rouge », dans *Frontières du conte*, textes réunis par F. Marotin, Paris-Lyon, Éd. du CNRS, 1982, p. 47-54.

CHUPEAU (Jacques), « Sur l'équivoque enjouée au Grand Siècle : l'exemple du *Petit Chaperon rouge* de Charles Perrault », *XVIIᵉ Siècle*, 150, janv.-mars 1986, p. 35-42.

RODRIGUEZ (Pierre), « L'éveil des sens dans *Le Petit Chaperon rouge* », *Littérature*, 63, oct. 1986, p. 55-64.

LA GENARDIÈRE (Claude), « Dans l'entre-deux-mères : lecture du *Petit Chaperon rouge* », *Poétique*, 76, 1988, p. 415-427.

MECHOULAN (Éric), « Il n'y a pas de fées, il n'y a que des interprétations : lecture du *Petit Chaperon rouge* », *Papers on French Seventeenth Century Literature*, vol. 19, n° 37, 1992, p. 489-500.

ESCOLA (Marc), *Lupus in fabula. Six façons d'affabuler La Fontaine*, Presses universitaires de Vincennes, 2004, chap. I : « Brèves histoires de loups ».

## La Barbe bleue

BREMOND (Claude), « La barbe et le sang bleus », dans *Une nouvelle civilisation ? Hommage à G. Friedmann*, Gallimard, 1973, p. 355-366.

TOURNIER (Michel), *Le Vol du vampire*, Mercure de France, 1981, rééd. Gallimard, coll. « Folio Essais », 1994, p. 38-43 : « *Barbe bleue* ou le secret du conte ».

LEWIS (Philip), « Bluebeard's magic key », *Actes de Banff (1986)*, Biblio 17, 30, 1987, p. 41-51.

# Bibliographie

## Le Chat botté

COMOTH (René), « Du "Pentamerone" aux "Contes de ma mère l'oye" », *Marche romane*, vol. 23, n° 1, 1973, p. 23-31 (comprend le texte intégral du conte de Basile).

MARIN (Louis), *Le récit est un piège*, Minuit, 1978, chap. IV, « À la conquête du pouvoir », p. 117-143 (parallèle avec le premier des *Trois Discours sur la condition des grands* de Pascal).

ESCARPIT (Denis), *Histoire d'un conte. Le Chat botté en France et en Angleterre*, Didier Érudition, 1985, 2 vol.

GAUDIN (Nicolas), « Étude socio-critique du *Chat Botté* de Perrault », *The French Review*, LIX, 5, avril 1986, p. 701-708.

MARIN (Louis), « Puss in boots : power of signs – signs of power », *Diacritics*, 1977, p. 54-63 ; repris dans L. Marin, *Politiques de la représentation*, Éditions Kimé, coll. « Collège international de philosophie », 2005.

## Les Fées

MARIN (Louis), « Essai d'analyse structurale d'un conte de Perrault : *Les Fées* », dans *Études sémiologiques*, Klincksieck, 1971, p. 297-318.

GILSON (Daniel), « Le jeu des adjectifs et des majuscules dans *Les Fées* de Perrault », *Recherches sur le conte merveilleux*, sous la dir. de G. Jacques, Louvain-la-Neuve, Université catholique de Louvain, 1981, p. 57-71.

FUMAROLI (Marc), « *Les Fées* de Charles Perrault ou De la littérature », dans *Le Statut de la littérature. Mélanges P. Bénichou*, Genève, Droz, 1982, p. 159-186 ; repris sous le titre « Les *Contes* de Perrault ou l'éducation de la douceur », dans *La Diplomatie de l'esprit*, Hermann, coll. « Savoir : Lettres », 1994, p. 441-478 (comparaison avec « Les Enchantements de l'éloquence » de Mlle Lhéritier).

## Cendrillon

SERRES (Michel), « Les métaphores de la cendre ou introduction à la féerie expérimentale », *Critiques*, 246, nov. 1967, p. 906-911.

# Contes

BREMOND (Claude), « Les bons récompensés et les méchants punis. Morphologie du conte merveilleux français », dans *Sémiotique narrative et textuelle*, Larousse, 1973, p. 97-121.

MARANDA (Pierre), « Cendrillon : théorie des graphes et des ensembles », dans *Sémiotique narrative et textuelle*, Larousse, 1973, p. 122-136.

COURTÈS (Jacques), « Lecture sémiotique de *Cendrillon* », dans *Introduction à la sémiotique narrative et discursive*, Hachette, coll. « Université », 1978, p. 109-138.

GREIMAS (Algirdas-Julien) et COURTÈS (Jacques), « Cendrillon va au bal... Les rôles et les figures dans la littérature orale française », dans *Systèmes de signes. Hommage à G. Dieterlen*, Hermann, 1978, p. 243-257.

*Cahiers de littérature orale*, 25, 1989 : *Cendrillons*.

## Riquet à la Houppe

BARCHILON (Jacques), « Beauty and the Beast. From myth to fairy tales », *Psychoanalysis and the Psychoanalytical Review*, XXXXVI, 4, 1960, p. 1-12.

## Le Petit Poucet

MARIN (Louis), « L'ogre de Charles Perrault ou le portrait inversé du roi », in *L'Ogre. Mélanges pour Jacques Le Goff*, Gallimard, 1992, p. 283-302 ; repris dans L. Marin, *Politiques de la représentation*, Éditions Kimé, coll. « Collège international de philosophie », 2005.

# TABLE